JN123873

SOZO

救い・癒し・解放

父、御子、聖霊と歩む自由への旅

ダナ・デシルバ ＆ テレサ・リブシャー

著

推薦の言葉

　大きな喜びを持って、ダナ・デシルバとテレサ・リブシャーの共著、『SOZO—救い・癒し・解放』をみなさんにご紹介いたします。彼らはこのメッセージを深く掘り下げることで、世界中の多くの方々をそれまで思いもしなかった自由な生き方へと導いています。この本はあなたに、イエスがいつも目指されていた生活様式に生きるための洞察力とインスピレーション、そして具体的な方法を教えます。読んで、そして変えられてください！

ビル・ジョンソン

カリフォルニア州レディング市、ベテル教会主任牧師

『神の臨在をもてなす』著者

　何年もの間、私はダナとテレサのSOZOメソッドが、何百という人たちに自由をもたらしてきたのを見るという栄誉に預かってきました。『SOZO—救い・癒し・解放』には、霊的に豊かに生きることを可能にする様々な方法が満載です。私はこの本が、人々の命の扉を開き、人々が自由に生きるための生き方を学ぶと信じています。ダナとテレサの2人は、人が完全な自由を歩むために仕え、助けたいという心を持っています。この本が、読む人たちを解放へと導くことを確信しています。

ベニー・ジョンソン

カリフォルニア州レディング市、ベテル教会牧師

『ハッピー・インターセッサー』著者

　この本は、インナーヒーリングや解放、そして、身体の癒しの分野に喜ばしい新たな一面を加えてくれしました。また、この本には、皆さんが行なっているミニストリーにブレイクスルー（打ち破り）をもたらし、人々を福音に導く助けとなる多くの洞察があります。彼らの働きは、世界中のリーダーや教会に大きな影響を与えています。最近、私はナイジェリアにおいて鍵と

なるリーダーに会いましたが、その人は SOZO トレーニングを受け、それをナイジェリアに広めようとしていました。皆さんもこの本を読み、トレーニングを受け、それを自分の教会へ伝えていただきたいと願っています。

Dr. ランディー・クラーク

『There is More, Power to Heal』著者

この数十年間、ダナ・デシルバとテレサ・リブシャーは、霊的世界の案内役と、人々を自由へと導く働きの両方を行なってきました。何千人もの人たちが彼らのミニストリーを通して暗闇の鎖から解かれ、キリストの召しに歩み出しています。二人の新しい本、『SOZO―救い・癒し・解放』は、すぐにでもあなたを自由の源である方との関係へと導き、また豊かで完全な人生への道を照らすものとなるでしょう。この本は必読書です。

クリス・バロトン

カリフォルニア州レディング市、ベテル教会シニア協力牧師

『スピリット・ウォーズ』『王家の者として生きる』著者

30 年あまりの間、ミニストリーの働きに携わることができたことは、私にとっての喜びです。私自身、また、私が癒やしのミニストリーを導いた多くの方が、心の中にある障害や不信仰を取り除くことで大きな打ち破りを体験してきました。いかなる形であれ、人は誰もが傷を負っています。そして、その傷が癒えないまま、神に対してさえ攻撃的になったり、または否定的になったりしています。

SOZO ミニストリーを受けた私自身をはじめ多くの友人や家族全員が、驚くような結果を体験しています。SOZO には、イエスが支払い、獲得してくださった自由を完全に受け取るための素晴らしい鍵があります。聖霊に心を開いてこの本を読まれることをお勧めします。そうすれば、聖霊があなた自身とあなたが関わる全ての人を、自由の深みへと導かれることでしょう。

キャロル・アーノット

キャッチ・ザ・ファイヤー・ミニストリー、コアリーダー

この本に書かれている証は、人々が自由になった経緯をそれぞれ忠実に表現しながらも、個人のプライバシーを保護するために一部修正されています。それ以外は本人の実際の状況が書かれています。

目次

序文

私と妻のシェリーは、何世代にも渡る家族関係や人間関係の不和を克服しようと、何年もの間、奮闘してきました。クリスチャンとなり変えられてもなお、解決できない問題が残っており、それは2人の関係にもありましたが、それでも私たちは結婚生活を続けました。数年が過ぎても私たちの不健康な習慣は続いており、2人の距離は広がるばかりでした。3人の子供たちを育てることで、更にストレスが増えていきました。その上、私たちは教会を牧会することに決めました。私たちの結婚とその周辺のものを巻き込む程の破壊力を持つ何かが、爆発寸前でした。

牧師となって2年目に、SOZO を勧められました。それは、解放のより「優しい」形だと言われました。そう言われて恐怖を覚えるのに十分な程に、私たちは解放のミニストリーを幾度となく経験していました。しかし、恐怖を感じるのと同様に、その必要性にも気づいていました。SOZO は結婚生活を成功させるチケットのようでした。幸いなことに、シェリーが先に受けました。SOZO セッションを受けた日、シェリーは夜遅くに家に戻りました。私は結果を聞こうと楽しみに待っていました。安心できる家庭環境で育つことのなかったシェリーには、取り扱うべき問題がたくさんあることが明白だったからです。私は長い間、私たちの関係が恐れから平安と喜びに変えられるようにと祈ってきました。

「どうだった?」と聞くと、「良かったわ」とシェリー。「思ったよりずっと良かった。天のお父さんの声をはっきりと聞くことができたの。私が長い間抱えていた、でも良く理解できていなかった問題を見せてくださったのよ」

シェリーの返事に私の心は踊りました。私の祈りが聞かれたんだ! 恵みによりシェリーは啓示を受けたのです。ようやく虐待という遺産、私たちの結婚生活に流れてきた全ての負の遺産を断ち切ることができたのでした。それは、私が長い間待ち続けて来た瞬間でした。

シェリーは続けました。

「天のお父さんは、私が一度も守られていると感じたことがなかったことを見せてくださったの」

　私は椅子から飛び上がりそうなほど驚きました。（当たり前じゃないか！あんな恐ろしい環境に育って、どうやって守られてると感じるんだ！）話の続きが待ちきれない思いでした。

　落ち着いた声でシェリーは続けました。

「神が見せてくださったのは、あなたから守られていると感じたことが一度もない、ということだったの」

　その言葉は私のプライドを引き裂きました。衝撃がはじめに来て、その後、疑いに変わりました。（この家族の中でも、守られてるって感じたことがなかったということ？）

「もちろん、私の家族から守られてると感じたことはなかったわ。それに、守ってもらおうと思ったことさえ一度もなかったのよ。でもね、神にある人との結婚だったら、守られてると感じるはずだと思っていたの」

　それは、超自然的な解決への手がかりでした。どういうわけかSOZOを受けたのはシェリーでしたが、私が解放されたのでした。12年間もの不和に対する解決の鍵を受け取りました。その年の暮れには、私たちの結婚生活が変えられていました。私が無意識に拒絶していたことが、結婚生活にいかにダメージを与えていたかに気づかされたのです。彼女の怒りを前に、それが恐れから来ているとは考えもしませんでした。私はいつも、それを彼女の「問題の山」に放り投げて、自己中心的だと言って責めていました。そのようにして彼女を拒否することで、自分自身もまた自己中心になっていたのでした。

　天の父の啓示が私の目を開いてくださいました。シェリーは守られることを必要としていたのです。私が無意識に守ろうとしてきたものの中に、彼女だけは含まれていなかったのです。彼女が攻撃的であるが故に、自分のことは自分でできるだろうと考えていました。それが彼女本来の姿を見ることで、それまで私が本質的に持っていた破滅的な行動パターンが、尊敬やサポート、守るためのものへと入れ替えられるということが起きました。啓示がなければ、妻を守ろうとしてこなかった、などとは到底信じられなかったでしょう。この経験をしてからの彼女は、怒る代わりにコミュニケーションを取るようになりました。もちろん、この結婚の打ち破りには、一緒にいるための工夫

や努力が必要だったことは言うまでもありません。現在、私たちの結婚生活が癒されたことによって、何万人もの人たちがその恩恵を受け取っています。10年以上に渡って、私たちはこのことを本やカンファレンス、人々を訓練する機会を通して世界中の人に伝えて来ました。成功の大きな鍵は、シルク家に新たな機会を雪崩のように次々ともたらしたこのシンプルで力強い体験です。

　イエスの福音は、地獄からの救いだけではありません。それは自由と力と愛を、この地上で生きる私たち全ての者にもたらします。あなたがこの本で学ぶものは、神からのギフトです。それらは、あなたと神の各神格との関係を建て上げ、あなたの人生のガラクタを取り除く助けとなり、また、神の目線で物事を見ることができるよう力づけてくれます。このようなものを読むのが初めてだと言う方は、どうか忍耐強くあってください。SOZO の目的とするものを理解することは、神の声を聞く力を増し加え、あなたに神の真の姿とあなたが何者であるかを教え、勝利ある人生、家族、そして、あなたが召されている使命に生きる方法を教えてくれるでしょう。

　ダナとテレサが人々を自由へと解放する権威を与えられていることは、保証済みです。彼らは何十という国と地域のクリスチャンたちにこの方法の用い方を教える、世界規模で広がるムーブメントのリーダーです。

　霊的権威はこの世に満ちる嘘に敵対し、御国の真理と一致することから来ます。強力な癒し、豊かさと自由は、シンプルでいて絶大な力を持つこのプロセスを通して働きます。読み進めるごとに、大きな影響を受け取ることを私は確信しています。

祝福を込めて、ダニー・シルク
ラビング・オン・パーパス代表
ベテル教会、ジーザスカルチャー教会主任牧師チーム
『愛し続ける』『尊敬の文化』著者

はじめに

　神の各神格との強固な関係を築くことは、イエスが聖書で示されている生き方をするためにきわめて重要なことです。この本は、神が与えてくださっている豊かな人生を妨げている嘘や障害を取り除くことを助ける目的で書かれています。この目的に到達するための方法を建て上げる旅を、過去20年に渡り、ベテルSOZO(ソーゾー)は歩んで来ました。

　私たちの望みは、人生の予測できない嵐の中でも揺るぐことのない、神との強固な関係を築くために必要な方法を提供することです。この本では、あなたの人生にある嘘や依存、そして、障害となっているものを取り除く聖書的な方法をお分かちしています。それは、あなたを天の父とイエス、そして聖霊とに繋ぎ、あなたが召されている使命に力強く歩ませるものです。

　ベテルSOZOとは内面の癒しと解放のミニストリーです。このミニストリーは、神と安心して交わることのできる場所を提供します。それは信じている嘘を神の真理と置き換えることを通して、セッションが終わった後も長く続く、心を開いて神と交わることのできる関係へとあなたを導くものです。ひと度、天の父と御子イエス・キリスト、そして聖霊と繋がると、今度は、あなた自身で神との関係を通して過去の問題を取り扱うことができるようになります。そうすることで、イエスがこの地上に来られ、私たちに与えてくださった福音全てを自分のものとされることでしょう。

　豊かな人生とは、全ての人が求めているものです。私たちは成功し、神に用いられる素晴らしい人生を歩むようにとあらかじめ設計されています。豊かに実を生らせ栄えることは、神から任せられた任務でもあります。そう歩む時に、私たちは変えられ、成長し、また、困難を克服する能力も更に増し加えられます。そのような機会にあずかることは、ただ偶然に起こるものではありません。イエスが十字架を通して獲得された完全なる自由を生きるためには、真理を求め、恐れをはねのけて進む決心と忍耐が不可欠です。

　この本は、SOZOのやり方を教えるものではありません。SOZOを受け

た人生とはどのようなものかを紹介しています。

　この本では沢山の役立つ情報を提供しています。それらを用いて豊かな実りを生らせるかどうかは、あなたにかかっています。感謝なことに、私たちが仕える神は私たちの成長を励ましてくださる恵み深いお方です。その方と一緒に、この本で紹介している方法を用いてください。イエスの十字架で、私たちに与えられた豊かな人生を体験し始められることでしょう。

祝福を込めて　ダナ＆テレサ

SOZO とは？

SOZO は、新約聖書の中で 100 回以上も使われているギリシャ語です。

この単語には、「良くなる、癒し、健康の回復、安全を保つ、罪のさばきからの解放、イエスによる解放を邪魔する悪からの救い」注1 という意味があります。

全ての人が、神から与えられているこれら全ての特権に預かること、これがベテル SOZO ミニストリーの目的です。私たちは、三位一体なる神の各神格との結びつきが強められることで神への信頼が増すこと、そして、その歩みのなかで、SOZO の目的とするものが成し遂げられて行くことを見てきました。SOZO は、父なる神、御子なるイエス・キリスト、そして聖霊各々との交わりを強め、また信じている嘘（真理でないもの）や人生の中にある敵の要塞を見つける助けをします。

人が嘘や敵の要塞に囚われていると、身体や感情、また、霊的な健康にダメージを受けます。イエス・キリストが与えてくださった自由を生きるためには、一人ひとりが信じている嘘や悪魔に開いている扉を破棄し、神の真理に置き換える必要があります。この置き換え作業に用いる多くの聖書的ツール（道具、方法）を、この本で紹介していきます。

内なる癒しの方法には様々なものがあり、SOZO を通しても同様に、世界中で数多くの癒やしの証が見られます。この本では、私たちが見てきた体験談のいくつかを分かち合っています。ではまず初めに、SOZO の聖書的根拠となる聖句を見ていきましょう。

SOZO ミニストリーは、その名前をギリシャ語の「sōzō（ソーゾー）」という言葉から取りました。先ほど説明したように sōzō には、救い、癒し、解放の意味が含まれています。聖書で sōzō という単語が使われる時は、個人の打ち破りにおいて、身体と感情と霊を含む三方面の健康を受け取る恵みを意味しています。

ベテル SOZO では、相談者が部分的な打ち破りではなく、全てを受け取ってセッションを終えることを望んでいます。一部分しか受け取れていない状

態では、イエスにより約束されている豊かな人生を受け取ることはできません。神が聖書でsōzōという言葉を使われるのは、ただ救いや癒し、または解放のどれかではなく、これら３つ全てを体験するようにとの神からの招きだと信じています。

　聖書で初めにsōzōという言葉が出てくるのは、マタイの福音書一章二十一節です。

　マリヤは男の子を産みます。その名をイエスとつけなさい。この方こそ、ご自分の民をその罪から救ってくださる方です。（強調著者）

　ここでは「救って」と訳されていますが、sōzōという言葉の定義は、「**良くなること。イエスによる解放を妨げる悪からの救い。神から受けるべき罪の報酬からの救い**」注2の３つの側面を含む完全性を意味するものです。イエスはただ癒すため、または、救い、解放のために来られたのではありません。この３つの全てを行なうことが任されていたのです。
「イエスによる解放とは何か？」と思う方がおられるかもしれません。それは十字架上での死を通して与えられた自由を意味します。イエスのいのちと引き換えに、私たちは罪と死、そして、神との断絶から救われました。しかしながら、私たちが信じている嘘と敵の要塞 ── 多くの場合は、私たち自らが敵の侵入を許している ── は、私たちはもはや敵の奴隷ではない（ガラテヤ二・20参照）とイエスが明らかにしてくださった真実に歩むことを阻むものです。聖句に示されているように、sōzōとは、私たちが贖われた人生を全うするのを妨げている障害物を取り除くための、神から与えられたプロセスなのです。（ヨハネ三・3参照）
　マタイ九章でsōzōは、身体の癒しを表す意味として使われています。

　すると、見よ。十二年の間長血をわずらっている女が、イエスのうしろに来て、その着物のふさにさわった。お着物にさわることでもできれば、きっと直る。」とこころのうちで考えていたからである。（マタイ九・20〜21　強調著者）

　このことがあった後、イエスは女性にこう言いました。「**娘よ。しっかりしなさい。あなたの信仰があなたを直したのです**」（マタイ九・22）。ここで

は「直した」と訳されていますが、聖句本来の sōzō の意味では、この女性は同時に救いと解放をも体験したことを示しています。

聖書では救い、癒し、解放それぞれを個別に示すものとして、他の単語が使われています。sōzō だけがこの３つを合わせた意味をもつのです。「救い」を表す別の言葉に「sōtēria（ソテリヤ）」と「pheugō（フューゴー）」があります。sōtēria は解放と救いを意味し、pheugō は逃げ去る、脱出して助かるという意味があります。

sōtēria は聖書で 44 回使われています。言葉の定義としては解放の意味を含みますが、特に「クリスチャンに与えられる利益と祝福、そのための救い」[注3]、を意味します。また、この言葉自体に排他的な意味が含まれています。

この言葉は、イエスとサマリヤの女との対話の中で使われています。

救いはユダヤ人から出るのですから、わたしたちは知って礼拝していますが、あなたがたは知らないで礼拝しています。（ヨハネ四・22　強調著者）

イエスは続けて、真の礼拝者たちが霊とまことによって父を礼拝する時が来る（ヨハネ四・23、24 参照）と語られ、暗に救いの賜物を広めることを示されました。この聖句の文脈は、完全性よりも救いに焦点を当てていることがわかります。

「pheugō」は 29 回使われています。その意味には、「逃げる、安全を求めて逃げる、逃げて救われる、危険から脱出して安全になる」[注4] などがあります。マルコの福音書にある１つの例を見ましょう。

女たちは、墓を出て、そこから逃げ去った。すっかり震え上がって、気も転倒していたからである。そしてだれにも何も言わなかった。恐ろしかったからである。（マルコ一六・8　強調著者）

この言葉は、危険から自らを遠ざける肉体的な行動を意味します。これは明らかに、sōzō や sōtēria とは違う意味で使われていることがわかります。

聖書では他に、iaomai（イヤーマイ），therapeuō（セラプオ），diasōzō（ディアソーゾー）などの癒しに関する言葉が使われています。iaomai には、「治る、癒し、完全となる（罪や間違いから自由になること、救いをもたらす）」[注5] などの意味があり、新訳聖書に 26 回出てきます。１つの例を見ましょう。

しかし、百人隊長は答えて言った。「主よ。あなたを私の屋根の下にお入れする資格は、私にはありません。ただ、おことばをいただかせてください。そうすれば、私のしもべは直りますから。それから、イエスは百人隊長に言われた。「さあ行きなさい。あなたの信じたとおりになるように。」すると、ちょうどその時、そのしもべは**いやされた**。(マタイ八・8、13　強調著者)

ここでは、身体の癒し以外のことが起こったとは示されていません。イエスの着物のふさに触れた女性が全き状態にされたのとは違い、この男性は体の癒しだけを受け取ったことが読み取れます。

次の therapeuō の意味は「**仕える、治療する、治す、健康を回復する**」注6です。この言葉は聖書に 43 回出てきます。この言葉は、「仕える」より「癒す、治す」と訳される方が多くみられます。

そして、イエスがその子をおしかりになると、悪霊は彼から出て行き、その子はその時から**直った**。(マタイ一七・18)

ここでは、悪霊からの解放により癒された事がはっきりと書かれていますが、救いに関しては何も触れていません。

diasōzō は sōzō を語源とする言葉ですが、これには「**危険から守る、安全に動かす、壊れないようにする**」注7 などの意味があり、聖書では 9 回使われています。この言葉もまた、助ける、病いの癒し、助け出す、などの意味でも使われています。

すると、その地の人々は、イエスと気がついて、付近の地域にくまなく知らせ、病人という病人をみな、みもとに連れて来た。そして、せめて彼らに、着物のふさにでもさわらせてやってくださいと、イエスにお願いした。そして、さわった人々はみな、**いやされた**。(マタイ一四・35,36　強調著者)

以上のようにこれらの 3 つの言葉は、救いや解放を含まない、身体的な癒しに関する言葉として主に使われていることがわかります。

解放に特化して使われている言葉には aphesis（アファシス）があり、これは 17 回出てきます。定義は、「罪の結果生じる束縛や囚われから自由にされる事、赦し」注8 となっています。

> バプテスマのヨハネが荒野に現われて、罪が**赦される**ための悔い改めのバプテスマを説いた。（マルコ一・4　強調著者）

　これは、癒しや救いより、罪による縄目からの解放という意味で使われています。これらの言葉はそれぞれが、癒し、救い、解放について使われてはいますが、sōzō だけが、この全ての意味を含む言葉となります。sōzō とは、身体的な癒し以上に、霊的、身体的、感情的な健康を表す言葉なのです。
　sōzō「救い、癒しと解放」と iaomai「救い」やその他の言葉の違いについてより深く理解するために、更に聖書を見てみましょう。これらの単語が使い分けられているイエスの言葉を見るとわかり易いでしょう。

> そのころイエスはエルサレムに上られる途中、サマリヤとガリラヤの境を通られた。ある村に入ると、十人のツァラアトに冒された人がイエスに出会った。彼らは遠く離れた所に立って、声を張り上げて、「イエスさま、先生。どうぞあわれんでください」と言った。イエスはこれを見て言われた。「行きなさい。そして自分を祭司に見せなさい。」彼らは行く途中できよめられた（iaomai）。そのうちのひとりは、自分のいやされたことがわかると、大声で神をほめたたえながら引き返して来て、イエスの足もとにひれ伏して感謝した。彼はサマリヤ人であった。そこでイエスは言われた。「十人きよめられたのではないか。九人はどこにいるのか。神をあがめるために戻って来た者は、この外国人のほかには、だれもいないのか。」それからその人に言われた。「立ち上がって、行きなさい。あなたの信仰が、あなたを**直した**（sōzō）のです。」（ルカ一七・11~19　強調著者）

　ツァラアトに冒された 10 人のうちの 1 人だけが、イエスからの全き祝福を受け取ったことに注目してください。1 人だけが、感謝を捧げたことを通して、天からの贈り物を受け取る事ができたのです。10 人とも癒されたのですが、sōzō を受け取ったのは 1 人だけだったのです。
　以下にいくつか sōzō が使われている聖句を挙げます。

※以下、強調著者

・しかし、最後まで耐え忍ぶ者は**救われます**。（マタイ二四・13）

・するとイエスは、彼に言われた。「さあ、行きなさい。あなたの信仰があなたを**救った**のです。」すると、すぐさま彼は見えるようになり、イエスの行かれる所について行った。（マルコ一〇・52）

・道ばたに落ちるとは、こういう人たちのことです。みことばを聞いたが、あとから悪魔が来て、彼らが信じて**救われる**ことのないように、その人たちのこころから、みことばを持ち去ってしまうのです。（ルカ八・12）

・目撃者たちは、悪霊につかれていた人の**救われた**次第を、その人々に知らせた。（ルカ八・36）

・人の子は、失われた人を捜して**救う**ために来たのです。（ルカ一九・10）

・わたしは門です。だれでも、わたしを通ってはいるなら、**救われます**。また安らかに出入りし、牧草を見つけます。（ヨハネ一〇・9）

・だれかが、わたしの言うことを聞いてそれを守らなくても、わたしはその人をさばきません。わたしは世をさばくために来たのではなく、世を**救う**ために来たからです。（ヨハネ十二・47）

・しかし、主の名を呼ぶ者は、みな**救われる**。（使徒二・21）

　これらの言葉を sōzō に置き換えることは、全き解放を望まれる主のこころをより反映していると言えるでしょう。イエスは、「**世をさばくためではなく、世を救い、癒やし、自由にするため**」（ヨハネ三・17、十二・47）に来られました。主はこの世がある程度救われるために来られたのではありません。私たちに全てを与えるために来られたのです。

　この神の望まれる救いと癒し、そして、解放を受け取るために、SOZO は一人ひとりが御国の真理に繋がることを目指します。そのためには、三位一体の神それぞれの神格とはっきりと繋がることが重要となります。天の父、御子イエス・キリスト、そして聖霊がそれぞれ何を考えておられるのかを知ることで、体と感情と霊の健康を妨げている嘘を取り除く事ができるのです。

　私たちは、ただ体が癒されることだけを望んでいるのではありません。イエスの元へ戻った、ただ1人のツァラアトに癒された人のように、霊的にも感情的にも全き回復を受け取ること、それが私たちの目指していることです。聖書に出てくる sōzō された人たちのように、誰もが信仰によって歩み、御父、御子、聖霊に近づき、身体的、感情的、霊的な必要を明らかにするこ

とを望んでいます。

　私たちのミニストリーのゴールは、全ての人がイエスから与えられる全ての恵みに預かることです。それ以外は、囚^{とら}われている状態なのです。

ストロング詳訳聖書 1981 引用

注 1. "Sozo" (4982) / 注 3. "Soteria" (4991) / 注 4. "Pheugo" (5343) / 注 5. "Iao-mai" (2390) / 注 6. "Therapeuio" (2323). / 注 7. "Diasozo" (1295) / 注 8. "Aphe-sis" (859)

注 2. Ibid. ラテン語「同じ場所」を表す語

第 1 章

強固な関係を建て上げる

　1997 年 12 月のある日曜の夜、世界的に著名な癒しのリバイバリスト、ランディー・クラーク師が、師の指導者であるフレッド・グレヴェ師をベテル教会へ派遣しました。間近に予定されているリバイバル集会で、参加者たちにどのように祈れば良いかを教え、トレーニングすることが彼の目的でした。冬の真っ只中、カリフォルニア州レディングにあるベテル教会に、コートに手袋と帽子を被った冬装束の会衆が集っていました。フレッド師は講壇に立ち、熱心に目を向けている会衆を見渡しました。

　会衆の中で、インナーヒーリング（内面の癒し）・ミニストリーの影響を大きく受けた飢え渇いた人は僅かで、すぐにその影響が明らかになったわけではありませんでした。この時、私たちがわかっていたことは、改善が見られない人たちのために祈り続けることに、皆が疲れてしまっているということでした。さらに深く学ぶため、フレッド師の祈りのトレーニングに参加しました。私たちは、もし答えがあるなら、それを見つけなければならないと固く決意しました。

　フレッド師は、力強いインナーヒーリング方法について話しました。そのうちの 1 つに、パブロ・ボッタリの「10 のステップ」というものがありました。これは主に、新しく救われた人向けのデリバランス（解放）の方法として使われていたものでしたが、すぐに SOZO ミニストリーの中心的な柱の 1 つ、「4 つの扉」となりました。

　続く 2 年の間、私たちはこの技術を磨き続け、その結果が見られるようになりました。ミニストリーの効果が高まり、相談者が全ての面において整えられるようになったのです。ベテル教会における祈りのミニストリーの

リーダーである、ベニー・ジョンソン師にもその実が認められ、彼女の承認を得て、私たち2人のリーダーシップの下、SOZO ミニストリーが始められることになりました。

それから 20 年が経った現在、私たちのミニストリーは、アメリカから世界各地へと広がっています。嘘を見つけ出し、真理と置き換え、一人ひとりが三位一体の神との間に強固な関係を築くことで、SOZO は何千もの人々に打ち破りをもたらしてきました。

神との強固な関係を築くこと、これが SOZO ミニストリーの土台です。ここで教えている方法や技術、そして、それらを練習することは全て、三位一体の神それぞれの神格と繋がることを目的としています。なぜなら、多くのクリスチャンにとって三位一体の神に近づき、関係を築くことは、容易ではないように思えるからです。多くの人は、イエス・キリストを表面的に知っているだけのように見受けられます。

聖書は、神は三位 —— 父なる神、御子なるイエス・キリスト、聖霊 —— で一体であると教えています。聖書を見ると、それぞれの神格は違った働きを担っていることがわかります。父なる神は守り与えアイデンティティーを明らかにし、イエス・キリストは友情と交わりを深め、聖霊は慰めを与え導きをもたらします。

クリスチャンとして力強い歩みをするかどうかは、この各神格とどれほど良い関係を築いているかに掛かっていることを学びました。力ある人とは、自らの必要を父なる神、御子イエス・キリスト、聖霊に持っていくことができる人です。父なる神と繋がる人はアイデンティティーと使命を、イエスと繋がる人は友情、聖霊と共に働く人は導きと慰めを受け取ります。この関係は、地上の家族との関係と密接な関わりがあります。健全な父、母、兄弟、そして友人は、個人の身体、感情、霊の健康的な成長を助けるものです。この概念については、5 章の父の梯子で詳しくお話しします。

父なる神、イエス、聖霊を追い求めることができない人たちは、それぞれが世界に及ぼす影響を弱めると、私たちは信じています。なぜなら、彼らは、アイデンティティー、目的、関係性、慰めをもたらすこの関係を築くことができないからです。

全員とは言いませんが、多くのクリスチャンは、イエス・キリストといることで安らぎを感じることでしょう。しかし、その関係をさらに向上させる

必要があるかもしれません。クリスチャン、特に西洋圏のクリスチャンたちは、この父なる神と御子イエス・キリスト、そして聖霊との深い関係が欠けているようです。その原因は、関係性に代わって、宗教が重要な要素となっているからです。

　これが、クリスチャンが現代社会の中心となって活躍できていない理由の1つであると、私たちは信じます。恐れ、もしくは不自由さを感じ、多くのクリスチャンは神との個人的な関係を築くことに失敗しています。神への情熱と親密な交わりが無ければ、周りへの影響力は弱まります。イエスが話された枡の下に置かれた灯りのように、その造られた本来の働きを為していないからです。

> **あなたがたは、地の塩です。もし塩が塩けをなくしたら、何によって塩けをつけるのでしょう。もう何の役にも立たず、外に捨てられて、人々に踏みつけられるだけです。　あなたがたは、世の光です。山の上にある町は隠れる事ができません。　また、あかりをつけて、それを枡の下に置く者はありません。燭台の上に置きます。そうすれば、家にいる人々全部を照らします。このように、あなたがたの光を人々の前で輝かせ、人々があなたがたの良い行ないを見て、天におられるあなたがたの父をあがめるようにしなさい。**（マタイ五・13~16）

　私たちの人生にとって重要な目的は、この世に光と影響を及ぼすことです。光を与える力が弱まるということは、この世に与える影響力も弱まるということです。

　クリスチャンが健全になることは、この世にとっての益なのです。私たちが神との強固な関係を持つことは、イエスの模範に倣って生きる上での力となります。そのような者は、自分が何者で何のために生まれたのかを知っており、試練の中でも変わることがない神との関係に留まることができるのです。

　私たちが各神格との関係を築くためには、神への信頼を邪魔している障害物に気付くことが必要です。嘘を信じたり、過去からの傷、神から来たものではない考え方などが問題となっている場合が多く見受けられます。このような、神にふさわしくない行ないや考えなどが、悪魔の支配への扉を開ける

ことになります。

　嘘を信じることは、神と繋がることの最も大きな妨げとなります。子供時代に受けた傷やトラウマ、またネガティブな体験が、人や神に対する間違った考えの元となっているかもしれません。例えば、両親の離婚を体験した子供たちは、その原因として自分を責める傾向にあります。これが真理ではないのは、明らかです。そして、この間違った考え方から自由になるには、この考えを捨てる以外にありません。

　嘘や間違った考えがどれほど馬鹿げたものであったとしても、そう考えることで自分が置かれている状況の説明がつくと思える場合、人はそれを受け入れるのです。嘘は人に深く根付いていることが多く、自分が信じている嘘に気付くには、聖霊の働きかけが必要です。そういうわけでパウロは、人々に心を新しくしなさいと教えたのです。

**　　この世と調子を合わせてはいけません。いや、むしろ、神のみこころは何か、すなわち、何が良いことで、神に受け入れられ、完全であるのかをわきまえ知るために、こころの一新によって自分を変えなさい。**（ローマ十二・2）

　心が新しくされるまで、私たちは神に反する考え方に悩まされることになります。SOZO セッションでは、信じている嘘を明らかにし、神にある絶対的真理と置き換えます。SOZO セッションをより深く理解してもらうために、セッションの最初に行なう典型的な会話をご紹介しましょう。

　導き手（M）と相談者（C）が椅子に座ります。
　M　こんにちは。お元気ですか？
　C　はい。
　M　どのようなことについて祈ったらいいですか？
　C　聖霊との深い関係を求めています。
　M　何か特別な理由があって求めておられますか？
　C　いいえ。ただ、深い関係がないと感じています。私の友人は、聖霊と素晴らしい関係を持っていると言うのですが、私にはそれがありません。

M　では、その事に取り組みましょう。集中しやすいように目を閉じていただけますか？

C　はい。（目を閉じる）

M　聖霊について考えると、何か聞いたり、感じたり、見たりしますか？

C　いいえ。（聖霊さまを想像してみる）

M　そうですか、大丈夫ですよ。では、私の後に続いて祈ってください。「私は、聖霊の声が聞けない、感じられない、見えない、という嘘を捨てます。聖霊が私とは話してくれないという嘘を捨てます。私と聖霊との間を妨げているもの全てを、イエスの御名で打ち砕きます。聖霊様、今、私に現れてください」

C　（祈りを繰り返す）

M　（相談者が準備できたと感じるまで待ってから）何か聞いたり、感じたり、見えたりしましたか？

　ここで、SOZO の導き手が相談者に目を閉じてもらい、聖霊に繋がることを連想するように導いた方法に注目してください。これは SOZO セッションでよく行なわれることです。導き手は、相談者の状態や感情、思いや感覚、または印象に働きかけます。それは、神がそれぞれに合った方法でコミュニケーションを取られるためです。映像を見る人もいれば、すぐに臨在を感じると言う人もいるでしょう。導き手はそれぞれの臨在の受け取り方を尊重しながら、神が選ばれる方法を通して神と出会うように、相談者に任せます。

　時には何も聞こえず、見えず、感じないという方もいます。そこには常に信じている嘘や傷、または敵からの妨害があることに気づきました。そのような時には、相談者と一緒に祈ることを通して、その問題の根を見つけ出します。（私たちが使う方法はこの後で詳しくお話します）

　導く時に私たちが気を付けていることは、相談者の考えや見るもの、神の感じ方などを決して裁かないことです。私たちの仕事は、相談者の話を注意深く聞き、その中に神との関係を妨げている嘘（信じている真理ではないもの）を見つけ出すことです。相談者が嘘や要塞、繰り返し起きる破滅的なパターンを捨てることを望む場合、導き手は赦しや放棄、SOZO で用いる他の方法で、そのネガティブな存在を取り除きます。

　前に紹介したセッションの例にもあるように、神の各神格に繋がるには、

簡単なプロセスが必要です。神をどのように感じ、見、聞くかを相談者に尋ねることによって、SOZOの導き手は、その人と主との関係を阻んでいる嘘を見分けることができます。

　例えば、聖霊の存在を霧のようなもの、または不確かなものとして見る人がいるとします。それは、その人が聖霊は存在しないという嘘を、こころの中で無意識に信じていることが原因かもしれません。もしくは、聖霊を霊的な存在としてしか信じておらず、親しい関係を望まれる神格を持つ存在であるとは信じていないということもあります。しかし、聖霊は実在し、力強く生きて働かれるお方であるということは、聖書に明確に記されています。

　後から詳しく述べますが、SOZOで用いる方法の中で最も強力なものの１つに、父の梯子（はしご）というものがあります。感情や身体的または霊的な必要を満たすには、どの神格との関係を強めるとよいかを見つけることが必要ですが、そのために父の梯子はとても有効です。例えば、安心感を求めている人の場合、聖霊との強い関係を持つことで、そのドアが開かれ、神がその必要を満たしてくださいます。相談者が誰かを赦す必要があるかどうかを見つける時にも、父の梯子は有効です。相談者は、母親や父親、または友人や他の人に対して、苦みを持ったままかもしれません。あるいは、本人自身がその対象になることもあります。SOZOで赦しを取り扱うのは、それが神の恵みを受けるために欠かせないことだからです。マタイ一八章に書かれているこの聖書の法則は、医療心理学の世界でも「赦しのセラピー（Forgiveness Therapy）」として用いられています。人が誰かに対して持っている嫌悪感や批判を捨てる時、身体的、感情的、霊的な癒しが起こるのです。

　繰り返しますが、SOZOセッションの中心的な目標は、神、そして、それぞれの神格との個人的な親しい関係を築くことです。何故なら、父なる神、御子なるイエス・キリスト、聖霊との親しい関係が、私たちに真のアイデンティティー、守り、交わり、慰めを与えるからです。襲ってくる人生の嵐を切り抜けることができるよう、それぞれの神格との強固な関係を築くことが重要です。

　各章の終わりに、取り組む課題と質問を載せています。聖霊と一緒に取り組んでください。聖霊が語られることを書き留めながら、個人で、またはグループリーダーと一緒に課題に挑戦してください。

グループ・ディスカッションの質問

1. 各神格の中で、あなたが特に親しく感じる方はいますか？
2. あなたを、天の父、イエス・キリスト、聖霊との親しい関係から遠ざけているものがあるとしたら、それは何ですか？

課題

1. 父なる神、イエス・キリスト、聖霊の中で、あなたが最も関係性を強めたい対象を決めてください。その方に関して、あなたが信じている嘘がないかを聞いてください。
2. 父なる神、イエス・キリスト、または聖霊に、その嘘をどこで学んだのかを聞いてください。
3. 父なる神、イエス・キリスト、または聖霊に、その時どこにおられたのかを聞いてください。
4. 父なる神、イエス・キリスト、または聖霊に、真理は何かを聞いてください。
5. その嘘を教えた人が誰であったとしても、その人を赦してください。
6. 悪魔との繋がりや神から来たものではない考えを持っていたら、それを父なる神かイエス・キリスト、または聖霊に渡してください。
7. 父なる神、イエス・キリスト、または聖霊に、嘘に代わる真理を聞いて、それと置き換えてください。

終わりに

　質問と課題を通して、父なる神、イエス・キリスト、又は聖霊が明らかにしてくださったことを思い巡らし、与えられた言葉を熟考してください。与えられた打ち破りや体験に関して、主に感謝を捧げてください。

参考文献

ビル・ジョンソン (Bill Johnson)、『Face to Face with God : The Ultimate Quest to Experience/His Presence(神と向き合う：臨在を体験する究極の旅路)』(Charisma House、未邦訳)

ジェイソン・バロトン (Jason Vallotton)、『The Supernatural Power of Forgiveness

: Discover/How to Escape Your Prison of Pain and Unlock a life of Freedom（赦しの超自然な力：痛みの牢獄から逃れ、自由な人生を歩む方法を発見する）』（未邦訳）

第 2 章

友、仲介者としてのイエス・キリスト

　ビル・ジョンソン牧師が、「ミニストリーチームの皆さん、前に出て来てください」と、祈りの奉仕者に前に出るように呼びかけました。ダナはステージに上がりました。ミニストリーの中盤に、ダニエルという中年の男性が彼女の前に立ち、自己紹介をしました。彼女が、何故祈りが必要なのかと彼に尋ねると、彼は「解放です」と答えました。

ダニエルのケース

　2 人が問題に取り組む中で、ダニエルは十代の頃に悪魔に魂を売ったことがあると告白しました。「SOZO フェイス（驚きを出さない表情）」をしたまま、ダナは尋ねました。

「何があったんですか？」

　目に涙をためながら、彼は説明を始めました。

　ダニエルの記憶にある父親の姿は、酒乱でした。彼が 14 歳だったある夜、父親が酔っ払って仕事から帰って来ました。彼は急いで部屋に戻り、シーツの下に隠れました。父が部屋で暴れまわっている物音が聞こえてきました。恐ろしさのあまり、彼はシーツを硬く握りしめて、「イエス様、もしあなたが本当におられるなら、今ここに来て私たち家族を助けてください」と祈りました。何も起こらなかったため、次にサタンに、「もしあなたが本当にいるなら、私たち家族を助けてください」と祈りました。すると、すぐに悪霊が部屋に満ちるのがわかりました。怖くなった彼は、家族を救うためなら自分の魂を明け渡すと約束したのです。

　16 歳になるとダニエルは家を出て、薬物に明け暮れる生活を送るようになりました。18 歳で薬物の多量摂取に陥った時、再び悪霊が現れて、彼の

時間が終わったことを告げました。死後の映像を見せられる中で、自分が自分の身体から離れていくのを見て、イエスに助けを求めて叫びました。イエスがすぐに現れました。その時以来、彼は薬物を過剰摂取することをやめました。アパートの部屋で、薬物中毒から完全に解放された状態で目を覚ましたのです。イエスに自分の心を明け渡しました。このイエスとの出会いを体験してから教会に通い始めましたが、それでもまだ、悪霊が彼の人生に関わっていることを感じていました。

それから15年が経った今、ダニエルは祈りの列で泣いていました。過去の罪から来る罪責感があるのが分かり、「その時のことをイエス様に打ち明けませんか」とダナが優しく問いかけると、彼は泣きながら「はい」と答えました。

ダナは彼を赦しの祈りに導きました。「目を閉じてください。そして私の言うことを繰り返してください。『イエス様、私が悪の世界と魂の契約を結んだことを赦してください。イエス様と一緒になった今でも、その存在と繋がれていなければいけない、という嘘を捨てます。イエス様、代わりに、私に何を与えてくださいますか?』」

ダニエルはその祈りを繰り返しました。

ダナが「何か見たり、感じたり、聞いたりしたことはありませんか?」と尋ねると、彼は何かを聞こうとして首を傾げます。「わかりません…。イエス様が何かを言おうとされているのはわかるのですが、私にはよく聞き取れません。」

「もう一度繰り返してください。『イエス様、私が初めてあなたに助けを叫び求めた時、あなたはあの部屋のどこにおられましたか?』」

ダニエルは、「子供の私が、自分の部屋のシーツの下に隠れているのが見えました。そして今度は、イエス様が現れました。イエス様は部屋全体を満たすほど巨大です。」

「それを見て、どんな気持ちになりましたか?」

「何と言ったらいいのか…。あの時にイエス様を見ていたら、と思います。」

「私の後について言ってください。『イエス様、あの時にあなたが共にいてくださったことを見せてくださって、ありがとうございます。あなたが部屋に入ってこられたことに気がつかなかったことをお赦しください。私があなたに気がつかなかったことをあなたが怒っている、という嘘を捨てます。イエ

ス様、今、あなたが傍におられることをどうやったら感じられるのか、その方法を教えてください。』」

ダニエルは祈りを終えました。

ダナは前かがみになって、「今どんな感じがしていますか？」と尋ねました。

彼は目を開けると、その顔には笑みが浮かんでいました。「イエス様、ありがとうございます。」

そう言う彼の声は上ずっていました。身体を折り曲げるようにして、むせび泣いていました。彼の準備が整うのを待って、ダナは続けました。

「私に続いて言ってください。『イエス様、現れてくださってありがとうございます。今、私の魂がいつも敵に支配されているという嘘を捨てます。イエスの御名によって、その嘘をあなたに渡します。そして、どんな悪霊との繋がりからも私を聖めてください。これら全てをイエス様の御名によってお願いします。イエス様、嘘の代わりに、私に何を与えてくださいますか？』」

ダナはダニエルの反応を待ちます。

「何か聞いたり、感じたり、見たりしましたか？」

彼は涙を手の甲で拭いながら、「イエス様が私のことを誇りに思うと言われました。そして、私が悪魔と交わした契約書を破られ、新しい契約書を渡してくださいました。今、私はイエス様とともに歩んでいます」

「今、どんな気分ですか？」

「なかなかいい気分です。」

「私の後に繰り返して言ってください。『イエス様、偽の契約書を破棄してくださってありがとうございます。私を縛っていたものから離れて、その全ての縛りをあなたに渡します。イエス様、私をあなたの恵みの中に留めてください。これらの真理をあなたの聖なる御名によって封印します。アーメン』」

彼は続けて祈りました。彼は涙の乾いた目でダナを見つめて、強いハグをしました。

「嘘と真理を交換する」という力強い行ないで、ダニエルは敵との契約を破棄し、イエスとの契約を結びました。

イエスが私たちの人生に於いて担われている役割には、様々なものがあります。SOZOミニストリーでは個人をイエス・キリストとの関係へ繋げるにあたって、その中でも友と仲介者としての二つの性質に焦点を当てています。

イエスを受け入れた全ての人は、「Jehovah-Tsidkenu（主、私たちの義）」をある程度は理解しているでしょう。主の召しを受け入れるために、私たちはそれぞれ、その召しに相反する考え方を捨てなければなりませんでした。それは、全ての信者が経験することです。永遠のものを受け取るために、私たちはまず、主が入って来られるのを邪魔している障害物を喜んで取り除く必要があるのです。（黙示録三・20 参照）

この障害となっているものを取り除くプロセスが、SOZO ミニストリーの土台となるものです。神の真理を受け取るには、**自分が何者であるかを知り、障害物を放棄し、赦すべき人を赦し、障害物と真理を交換する**ことが必要です。これらのステップを踏むことは、敵の働きや残した痕跡(こんせき)を見つけ、神の真理と置き換えることに役立ちます。

SOZO の導き手が初めに取り組むことは、その人にとってイエスが友となっているかどうかを見つけることです。現代社会では、この考え方は影を潜(ひそ)めてしまったように見受けられますが、だからこそ、この関係を理解することには世界をも変える力があるのです。イエスは昨日も今日も、永遠に変わらぬ神です（ヨハネ一・1〜14 参照）。このイエスとの関係を持っているということは、すなわち、天の父との関係を持っているということです。

イエスは神として、私たちが体験し得る最も素晴らしい友情を現してくださいます。そして、イエスご自身を求める者全てに、究極の贈り物 ── イエスの犠牲による贖い ── を与えてくださいました。

人がその友のためにいのちを捨てるという、これよりも大きな愛はだれも持っていません。（ヨハネ一五・13）

イエスは永遠の友として御自分の命を捧げてくださいました。それゆえ、その見返りとして私たちは永遠の命を受け取ったのです。

西洋の文化では、友情の概念がこれ程の献身を含むことは滅多にありません。ほとんどの人は、相手が自分に何をしてくれたかによって友情を測るのではないでしょうか。人は、受け入れられていると感じる時に初めて、その新しい安全な関係に入ろうとします。ですが、イエスの方法は違いました。私たちが彼を好むと好まざるとにかかわらず、イエスは私たちの友となることを選ばれました。そのことによって私たちには、彼を受け入れる、または

拒否する権利が与えられました。それがどのような方法であったとしても、イエスの十字架を受け入れた者には、主の愛の刻印が刻まれているのです。

> **私はこう確信しています。死も、いのちも、御使いも、権威ある者も、今ある者も、後に来る者も、力ある者も、高さも、深さも、そのほかのどんな被造物も、私たちの主キリスト・イエスにある神の愛から、私たちを引き離すことはできません。**（ローマ八・38-39）

　私たちには、決して離れず、拒まず、また失望させないお方との友情を選ぶ力があります。イエスは父なる神を完璧に現すために、最も親しい友となるという方法を選ばれました。他の人が私たちを拒否することがあっても、イエスは違います。この友情の関係に入るために必要なことはただ１つ、心を開くことだけです。

> **見よ。わたしは、戸の外に立ってたたく。だれでも、わたしの声を聞いて戸をあけるなら、わたしは、彼のところにはいって、彼とともに食事をし、彼もわたしとともに食事をする。**（黙示録三・20）

　イエス・キリストは地上におられる間、弟子たちと関わり合う様を通して、私たちに友情がどのようなものかを示してくださいました。イエスは、弟子たちを天の父のご計画のうちに入れたのです。イエスはコミュニケーションの達人でした。

> **わたしはもはや、あなたがたをしもべとは呼びません。しもべは主人のすることを知らないからです。わたしはあなたがたを友と呼びました。なぜなら父から聞いたことをみな、あなたがたに知らせたからです。**（ヨハネ一五・15）

　聖書はまた、イエスは私たちの兄でもあると教えています。イエスは人類の罪を贖うためにご自身を御使いよりも低くし、人間の姿をとって来てくださいました。

そういうわけで、神のことについて、あわれみ深い、忠実な大祭司となるため、主はすべての点で兄弟たちと同じようにならなければなりませんでした。それは民の罪のために、なだめがなされるためなのです。（ヘブル二・17）

　イエスは実際に肉体をもって存在してくださったので、私たちのあらゆる状況を理解することがおできになります。
　私たちは弟妹として、イエスが持つ全てのものを得る権威が与えられています。御国の子供となり、天にある全てのものを受け継ぐこと ── これこそイエスの死が私たちに提供してくださっているものです。パウロは、私たち人間は神の子供であると定義することで、この関係をさらに詳しく説明しています。

　　私たちが神の子供であることは、御霊ご自身が、私たちの霊とともに、あかししてくださいます。もし子供であるなら、相続人でもあります。私たちがキリストと、栄光をともに受けるために苦難をともにしているなら、私たちは神の相続人であり、キリストとの共同相続人であります。（ローマ八・16~17）

　神の子供とされた私たちは、御国の共同法廷相続人となったと、パウロは主張しています。神との約束に留まることで、天の領域に入ることができるのです。これが、「大胆に恵みの御座に近づく」ことができる理由です（ヘブル四・16参照）。私たちはただ、御座に近づくことができるというだけでなく、そこに属する者とされました。
　更に、私たちに対する2つ目の役目として、イエスは完璧な仲介者になられたと聖書に書かれています。パウロはこう言っています。

　　罪に定めようとするのはだれですか。死んでくださった方、いや、よみがえられた方であるキリスト・イエスが、神の右の座に着き、私たちのためにとりなしていてくださるのです。（ローマ八・34）

　イエスは絶えず私たちのことを思い、私たちのためにとりなしていてくだ

さいます。このことを考えると、多くのクリスチャンがイエスに親しみを感じていることは、驚くことではありません。三位一体の神の中で、イエスが最も親しまれ、慕われていることがわかります。そのため、SOZO ミニストリーでは、イエスと共にセッションを始めるのが一般的です。

　聖句に従って、SOZO ではイエスを救い主、友、そして仲介者として定義しています。と言うのも、キリストは霊的、感情的必要だけではなく、私たちが必要とする**交わり**と**関係**に於いてもその必要を満たしてくださるお方だからです。

　友人や兄弟姉妹との関係は、私たちとイエスとの関係によく似ています。友人や兄弟姉妹はイエス同様、コミュニケーションと交わりの必要を満たすものです。そのため、この領域に問題がある場合、SOZO を受ける人はイエスと繋がることが必要です（父の梯子の章で更に詳しくお話しします）。友人や兄弟姉妹との不健全な関係がイエスの見方を歪めているのを、私たちは見てきました。

　これは、友人との関係に失望した人はイエスとの関係も閉ざしてしまう、という意味ではありません。ただ、人間は痛みを避けるために、他のことにその痛みを転化する性質があるということです。友人や兄弟が必要に応じてくれなかった時、自分を守るためにその相手との関係に壁を作ることがあります。イエスとの間にも無意識に壁を作っているとすると、それは問題です。

　私たちは子供時代に友人関係や兄弟との関わりを通して、コミュニケーションや信頼を築くことを学びます。これらの関係がイエスとの関係性に期待するものの基礎になります。イエスを、親しく交わりを持ち、成長するための安全な対象と見るか、または気をつけ、警戒する必要のある対象と見るか。私たちとイエスの関係は、それが良いか悪いかに関わらず、成長過程における友人や兄弟姉妹との関係に影響を受けています。友人や兄弟に傷付けられた時、特にそれが性格の形成期に起こったとするなら、敵からの嘘が入り込んでいる可能性があります。この問題を安心できる環境の中で取り扱うことで、神の目的を阻んでいる破壊的なパターンを取り除くことができるのです。

ジェームズのケース

　ここで、ベテル・トランスフォーメーションセンターに SOZO を受けに

来られた年配の男性、ジェームズの例をご紹介しましょう。彼は重荷を背負って、スーと言う女性のオフィスへ入って来ました。彼自身が何も語らなくとも、彼女は彼が醸し出している「悲しみに満ちた雰囲気」に気がつきました。

　数分間の会話の後、スーは彼の痛みの原因を知ることになります。彼は子供の頃、弟のドリューがひどい鬱に陥るのを見ていました。この弟と心の交流を持てなかったジェームズは、弟が16歳で自殺をしたことに、自責の念を持つようになっていました。

　残念なことに、ジェームズは自分を責め続けて人生を生きてきました。六十代の後半になった今になって初めて、そこからの解放を求めたのです。彼が初めに取り組んだのは、赦しでした。彼の内に長く押し込められていた感情は、彼自身と神に対する見方に深い影響を及ぼしていました。過去の恐怖と自分の気持ちに向き合うことを避けてきたことが、結果的に、彼自身の成長の妨げとなっていました。

　スーは、ジェームズに何故自分を赦すことがそれほど難しいのか、その理由を尋ねました。

「イエス様は私を赦さないと思います」と彼は答えました。

「どうしてそう思うのですか？」

「だって、そうでしょう？　私が弟を殺したようなものなのだから」

「イエス様がどう考えておられるのか、聞いてみたいと思いませんか？」

「もうわかっています」

「そうかもしれませんが、でも一緒に聞いてみませんか？　もしあなたが正しかったら、このままセッションを続けましょう。もし違っていたら、打ち破りがあるかもしれません」

　少しこのセッションから離れますが、説明させてください。相談者に選択肢を与えることは、とても効果的です。セッションでは、相談者の間違いを指摘することはありません。そうではなく、神との会話を安全に進めることによって、SOZOセッションは神が望んでおられる成長の過程を明らかにします。主のみこころに対する献身は、イエスの人生を模範としています。

**　そこで、イエスは彼らに答えて言われた。「まことに、まことに、あなたがたに告げます。子は、父がしておられることを見て行なう以外には、**

自分からは何事も行なうことができません。父がなさることは何でも、子も同様に行なうのです。（ヨハネ五・19）

では、セッションに戻りましょう。

しばらく抵抗したのち、ジェームズはイエスに会うことに同意しました。「では、目を閉じてください。あなたが弟を慰めようとした時のことを思い出していただけますか？」

彼はしばらく考えていました。

「無理だったらいいですが、目をつぶって、その記憶の時に戻ってみてください。今、そこにいますか？」

彼が頷きました。弟が亡くなってからというもの、毎日のようにその時のことを思い出していると、静かに話しました。

「私の後に、繰り返して言ってください。『イエス様、あなたはこの記憶の中のどこにおられますか？』」

彼はまるでそれが合図だったかのように、途端に身体を折り曲げました。スーはティッシュの箱を彼の足元に置き、ただ、とりなしを祈りながら静かに座っていました（ジェームズの気を散らして、イエスとの遭遇の邪魔をしないために）。数分後、スーは何が起こったのかを、彼に聞きました。彼は目を開き、ティッシュを箱から取り出しました。

「ドリューがいました。ドリューとイエス様が、昔、通っていた学校のカフェテリアに立っていました。ドリューは食べることが好きだったんです。彼が死んでから、両親は私に学校を辞めさせ、家で勉強するようにしました。」

そこで一旦休んでから、「私は救急車でドリューの体が運ばれていくのを覚えています。その救急隊員がドリューの身体を持ち上げた時、イエス様が私を抱きしめて、『これはあなたのせいではないんだよ』と話してくれました」と語り、身体を椅子に深く沈めました。

沈黙が続きました。

「どんな感じがしましたか？」と、スーが尋ねました。

ジェームズは涙を拭ってから、「ドリューは一緒におられるイエス様に任せて、私は一歩を踏み出す時だと思います」と答えました。

「その準備ができていますか？」

「そう思います」

「私の後に続いて言ってください。『私は、ドリューの自殺を止めることができなかった自分を赦すことを選択します。イエス様、私が不健全な罪悪感と責任を持ち続けてきたことをお赦しください。私はイエスの御名により、自分を裁くことから自分自身を解放します。そして、ドリューをあなたの御手に委ねます。アーメン』」

　祈りを繰り返すジェームズの頬を涙が流れました。

「どんな気分ですか？」

「軽くなりました。この50年で初めてです」

「では、イエス様に感謝を捧げましょう。そして、まだ他に何かすべきことがあるか見てみましょう。いかがですか？」

「はい」

　彼は涙を拭きました。準備ができていることを確認してから、スーはセッションを続けました。

　ジェームズの例からもわかるように、赦しは癒しのための重要な位置を占めています。赦しは、天から与えられた最も力強い武器の1つです。イエスはマタイの福音書で、その重要性について語られています。

　　そこで、主人は彼を呼びつけて言った。『悪いやつだ。おまえがあんなに頼んだからこそ借金全部を赦してやったのだ。私がおまえをあわれんでやったように、おまえも仲間をあわれんでやるべきではないか。』こうして、主人は怒って、借金を全部返すまで、彼を獄吏に引き渡した。あなたがたもそれぞれ、こころから兄弟を赦さないなら、天のわたしの父も、あなたがたに、このようになさるのです。」（マタイ一八・32~35）

　この聖句は、赦さないことが（それが自分自身であっても）いかに自分を牢獄に縛ることになるかをはっきりと教えています。その牢獄から出る鍵は、ただ赦すことです。エペソ人への手紙のなかで、パウロはこの鍵がもたらす恩恵について話しています。

　　無慈悲、憤り、怒り、叫び、そしりなどを、いっさいの悪意とともに、みな捨て去りなさい。互いに親切にし、こころの優しい人となり、神が

キリストにおいてあなたがたを赦してくださったように、互いに赦し合いなさい。（エペソ四・31~32）

　赦すことは、苦みや他の対立する霊から離れるための鍵です。イエスを通して神の赦しを受け入れることは、私たちはもはや罪悪感や恥意識に囚われる必要がないということです。罪悪感や恥が多くの人の癒しの妨げになっているのを、私たちは度々体験してきました。

　弟が亡くなったことによってできた空洞のため、ジェームズはイエスと友、または弟よりも近い関係になれずにいました（箴言一八・24 参照）。弟を失う体験から、イエスとの関係に緊張感を持っていました。彼はキリストが私たちの仲間だという教えに感謝していましたが、実際のところ、それは抽象的な考えに過ぎなかったのです。この問題を解決するためには彼がイエスと個人的に出会うこと、そして、傷ついたその場所にイエスが一緒におられたことを知ることが必要でした。

　ジェームズは、辛い記憶の中にイエスがおられたことを見る必要がありました。私たちは SOZO セッションの中でこの方法をよく使います。これは、**イエスの臨在**と呼ばれ、人生のどこでその嘘を信じるようになったのかを見つけるのに有効です。嘘の出どころを見つけたら、イエスにその時の記憶の中に来てもらい、真理を教えてくださるように願います。もちろん、全ての人が過去に戻って取り扱われる必要があるとは考えていませんが、SOZOではこの方法を用いることによって、大きな進歩を見てきました。

　ジェームズはイエスを友として、そして、苦しみからの救い主として見ることを必要としていました。ドリューに対する責任をイエスに委ねることで、それを手放し、自由を得ることができたのです。

　ジェームズのセッションの中で、イエスは交わりを通して、同じ仲間として仕えたことに注目してください。苦しい記憶の中でジェームズに会うことによって、イエスは真実を伝えることができました。完璧な伝達者としてイエスは、弟の死がジェームズの誤りによるものではないことを確信させました。また、悲しいことにドリューは亡くなりましたが、そんな痛みの中にあっても、ジェームズは一人ではないことを示されました。イエスもまた、弟よりも近しい友として（箴言一八・24 参照）そこにおられたからです。彼は弟

を守れなかったことの痛みから、自分自身を解放しました。イエスの赦しと同時に、弟の死に関して彼を責めていたものがすべて根絶やしにされました。

ついに、ジェームズは、ドリューの死に関してイエスが責めておられないことを理解しました。その結果、自分で自分を責める必要がなくなったのです。後悔からくる重荷を降ろすこと、それは感情的、霊的な成長にとって、初めの一歩です。

イエスとの関係に影響を及ぼしている傷が、全てトラウマから来ているわけではありません。友人や兄弟姉妹に関する嘘を利用して敵が私たちを騙すこともまた、イエスとの関係に距離を作ります。イエスは、一人ひとりとユニークで個人的な繋がりを持たれます。ダナの息子、コリーの話しをご紹介しましょう。

コリーのケース

それが起こったのは、コリーが6年生の時でした。彼は同年代の友だちよりかなり身長が低く、小柄な子供でした。午前の休み時間に、運動場で8年生（中学2年）の生徒が彼に大声でこう言いました。「幼稚園児はもうみんな家に帰ったと思ってた！」

この言葉が彼に痛みを残しました。

数時間後、コリーは他の生徒と一緒に図書館で算数の補習クラスを受けていました。ダナは図書館の隣の部屋がオフィスだったこともあり、この補習クラスをよく手伝っていました。この日、彼は算数の本を開くと同時に、静かに泣き始めました。彼女が、何があったのかを聞いても、彼はその悲しみをうまく説明できませんでした。その代わりに、彼女がやっているSOZOを受けられないかと尋ねました。

ダナとコリーはクラスを早退して、駐車場に向かいました。車のエンジンをかけ、車をバックさせながら彼女は尋ねました。

「どうしたの？」

「わからない」

「何があったの？」

「休み時間に8年生から、『幼稚園児は家に帰ったと思ってた！』って言われたの」

「そう、そんなことがあったの。じゃあ、目をつぶってみて。イエス様があ

なたに何を見せたいと思われているのかを聞きましょう」

　コリーは目をつぶり、その時のことを思い返しました。

「イエス様に、『その時どこにおられたのかを見せてください』と聞いてみて」

「イエス様がケリーの横に立ってる」

　この時、ダナの頭に最初に浮かんだのは、**イエス様、どうしてあなたはそのいじめっ子と一緒に立っておられるんですか？**　でした。しかし、そのことには触れず、その時ケリーがどんな嘘を教えたのかを、彼に聞きました。

　どんな嘘を聞いたのかをイエスに尋ねると、コリーは目を開けて、『僕はマザコンだっていうこと』

「イエス様、真理は何ですか？」

　コリーは質問をして、そして受け取った答えに笑い出してしまいました。

「イエス様ってそんなこと言わないよね」

「何を聞いたの？」

「イエス様はね、『気にすることないよ、ケリーはただのバカだから』って」

　友であるイエスがされることは、なんと愉快でしょう。イエスはコリーの年齢に合わせて話されました、まるで友だちがするような慰め方で。この心痛む出来事は、彼の心に「自分は甘えん坊の取るに足りない者」という種を植える可能性がありました。しかし、その種はすぐに取り除かれ、真理によって一掃されました。ダナがクラスに戻る彼に、イエス様がケリーのことをバカだと言われたことは話さないようにと注意したこともまた、益となったことでしょう。

　この例で、SOZO は子供へのミニストリーとしても役立つことがお分かりいただけたと思います。これらの嘘をイエスの真理の眼鏡を通して見る時に、受けるかもしれないダメージから思いを守ることができるのです。数年後にコリーも参加していたセミナーで、ダナがこの話をした時には、彼はこの出来事を覚えてもいないと話したということです。これは、置き換える祈りが彼に癒しをもたらした証拠と言えるでしょう。

　痛みのある場所にイエスを迎えることには、価値があります。イエスが傷んだ心を癒し、嘘を取り除き、そこにある嘘を真理に置き換えられるのを私たちは何度も見てきました。イエスを友、仲間、そして救い主として人々に結び合わせることは、神とのより明確なコミュニケーションの道を開くこと

になるのです。

　ご自分の人生に、友人や兄弟姉妹との関係で祈りや打ち破りを必要としていることはないでしょうか？　もしかしたら、友人を赦す必要があるかもしれません。または、友人や兄弟があなたを大切にしてこなかったかもしれません。愛していると言ってくれる人たちに囲まれていても、孤独を感じていませんか？　そこには、取り扱うべき嘘があるかもしれません。

　癒しは、それを見つけようとする飢え渇きと、恐れに向き合う勇気により起こります。自分自身を探るために、いくつか、質問を用意しました。ご自分で、もしくは信頼する霊的指導者と共に取り組まれることをお勧めします。

グループで話し合う質問

1. あなたと兄弟姉妹との間に、ぎこちなさや距離はありますか？
2. 同年代の人と繋がることに、難しさを感じていますか？

課題

1. 自分に対する嘘を信じていたら、それを明らかにしてくださるよう、イエスに聞いてください。
2. その嘘をどこで身につけたのかをイエスに聞いてください。
3. その時、イエスがどこにおられたのかを聞いてください。
4. イエスに、その場での真理を明らかにしてくださるよう、聞いてください。
5. その嘘を教えた人、またはその記憶の中であなたを傷つけた人に、赦しを解き放ちましょう。
6. そのことがきっかけとなって築かれた悪霊との関係、または神にふさわしくない考え方があれば、それをイエスに渡してください。
7. その考えを真理と交換し、悪霊と関係があったところを主の臨在が覆うように、イエスに求めてください。

イエスに関する嘘

1. イエスに関して信じている嘘がないか、イエスに尋ねてください。
2. その嘘をどこで信じたのかを聞いてください。
3. その時、イエスがどこにおられたのかを聞いてください。
4. 真理は何かを聞いてください。

5.　その記憶の中で、あなたに嘘を教えた人、またはあなたを傷つけた人が
　　いたら、その人を赦し、解放しましょう。

6.　イエスに関する嘘を信じていたことを、イエスに謝りましょう。嘘を捨て、
　　このことが原因となって生じた悪霊との繋がりや神から出ていない考え
　　方があれば、すべてイエスに渡してください。

7.　これらの考えを真理と置き換え、悪霊と関係があったところを主の臨在
　　が覆うように、イエスに求めてください。

参考文献

ケイ・アーサー (Kay Arthur) 、『Lord, I want to know You : A Devotional Study
on the Names of God（主よ、あなたを知りたい:神の御名について学ぶデボーション)』
(Waterbrook Press、未邦訳)

第3章

イエスの扉

　暗い部屋に立っているところを想像してください。ライトが赤い扉のドアノブを照らしています。その向こう側にある嘘が何かを知らずに、あなたはそこへ向かって歩いて行きます。ドアノブに手をかけます。少し手間取った後ドアノブが動き、そして、ゆっくりと扉が開きました。

　明るく照らされた部屋に入ると、そこには3つの扉がありました。左の扉には「キリスト」と書かれています。その扉が開き、眩しい光があなたの目に差し込みます。目が慣れると、そこにイエスがいて、両手を広げてあなたに救いと豊かな人生を差し出していることに気がつきました。それを受け取ることで、生きた、強い友情関係の中に入ることができると、あなたはわかっています。

**　わたしはもはや、あなたがたをしもべとは呼びません。しもべは主人のすることを知らないからです。わたしはあなたがたを友と呼びました。なぜなら父から聞いたことをみな、あなたがたに知らせたからです。**（ヨハネ一五・15)

　数年が経ち、あなたとの信頼関係を築いたイエスは、あなたを他の部屋へと導きます。初め、あなたは躊躇（ためら）います。イエスといる場所がとても心地良く感じられていたからです。ここで時を過ごすことの楽しさを味わい、この部屋を出ると、それが変わってしまうかもしれないと心配しています。

　促（うなが）されて躊躇（ためら）いがちに、あなたはイエスの後について、その部屋に入ります。そこには2つ目の扉、さらに幅広い扉がありました。金で作られたノブには、ライオンの勲章（くんしょう）がついており、あなたは、その向こう側に何か力強

いものが存在しているのを感じています。

イエスは、入りたいかどうかを尋ねます。あなたは少し考えてから、ドアノブに手を伸ばしました。その部屋の中には白い稲妻が光り、地震による裂け目ができています。

目が慣れてくると、王座が見えてきました。そこには、都市を覆うほど巨大で、人を圧倒する鋭い目をした不気味なものが座しています。視線が合い、無事だと悟りますが、しかし、その理解を超えたあまりにも偉大な存在の目を見つめていると、安心感が恐れへと変わっていきます。

あなたは悲鳴をあげて、扉を閉めました。イエスが中に入りたくないのかと再び尋ねます。あなたは首を振り、イエスの部屋へ戻ろうと提案します。「私たちはもうその部屋にいたんですよ。御父に会いたくありませんか?」と、イエスが尋ねます。

「多分、もう少し後で」

イエスはあなたの後についてご自分の部屋に戻られました。イエスの領域にいると、あなたは安心できます。死から命へと移されたこの部屋は、あなたの心を約束で満たしてくれる場所なのです。一体、誰がその部屋から出たいと思うでしょうか?

この話に思い当たる節はありませんか? もちろん、この話はたとえ話ですが、平均的なクリスチャン生活を上手に表していると思います。この主人公のように、キリストの犠牲を受け取ってはいるものの、御父と聖霊との関係に入ることが出来ないでいる人が多いようです。ベテル教会の会計士ステファン・デシルバ氏は、「多くのクリスチャンは恐れ、疑い、不安感の故にイエスの扉の内側に留まっている。そのため、御父に繋がることが出来ずにいる」と、述べています。

これは、孤児的思想を持つ人で溢れている世界において、今日、大きな問題となっています。父親不在、または父親との緊張関係の中で育つと、見捨てられた感覚や孤独感を持ちやすくなり、人から愛され、認められるために行動する傾向にあります。このような動機から行動することは、イエスの権威についてのメッセージを歪めることになります。永遠の愛なる神を知らない人は、**神が自分を守り、必要の全てを満たし、アイデンティティーを与えてくださる存在**だと信じることに難しさを覚えます。同様に、聖霊との交わ

りを拒む人は、**導かれ、育てられ、慰められること**を拒否してしまいます。神から与えられるこのようなものを拒むことは、私たちの精神的、身体的、感情的な健康を阻害（そがい）することがあります。

　孤児的思考の特徴は、神と人との間に距離を作ることです。多くの嘘が、父なる神との関係を求めることから人を遠ざけるのです。このような状態を改善するためには、キリストによる養子縁組を受け入れること。そして、御父の心との繋がりを隔てているものを取り除くことです。（ローマ八・15 参照）

　孤児的思考を断ち切ることは、SOZO を経験する目標の一つです。三位一体の神それぞれの神格との関係を建て直すことは、この孤児的思考を断ち切るための鍵でもあります。SOZO の導き手は、人が各神格と繋がるのを助けます。その時、力強く生きることから私たちを遠ざけている隠れた恐れが、過去のものとされるのです。

　ベテル教会の主任牧師であるビル・ジョンソン師は、こう指摘しています。「主とのたった一度の出会いによって、恐怖が人生にもたらす影響を変えることができる。神の思いとは、それほど素晴らしいものなのです」

ジムのケース

　SOZO を教えている最中に、ダナは若い女性を御父の心に繋げるために祈りました。すると、その女性の後ろの席に座っていたジムという男性が泣き始めました。ジムは、AA（断酒の会）の規則に従ってそのセミナーに参加していました。友人数人とバイクでやってきた彼は、バスケットボール大の筋肉と、腕にはカルト的な刺青（いれずみ）を入れていました。ダナが若い女性への祈りを終えた時、ジムの涙に気がつき、どうしたのかと尋ねました。

　彼は答えました。「イエスのことはわかります。イエスを愛していますし、イエスが私を愛していることも知っています。でも、父なる神に関しては、あなたが何を言おうとしているのか、全く理解できません」
「ということは、あなたはイエスといると安心だと感じているのですね」とダナが聞きました。
「イエスと私は良い関係です。でも、この父なる神とのことは理解出来ません」
「父のところへ連れて行って欲しいと、イエスにお願いしてみませんか？」
「やってみます」と彼は答えて、目を閉じました。
「私の後に続いて言ってください。『イエス様、私をお父さんのところに連れ

て行ってください』」

　祈り終えるや否や、彼はまるで殴られるのを避けるように顔を両手で覆いました。

　それを見たダナは、彼の耳元に近づき、こう囁きました。「父なる神は決してあなたを殴りませんよ」

　すぐさま、ジムは床に崩れ落ちました。両足を胸に引き寄せ、胎児のような姿勢になって泣き始めたのです。悪霊が現れる可能性も考えながら、ダナは彼の横に跪いて、良い意味で泣いているのか、悪い意味なのかを聞きました。

　ジムは、うめくような声で告白しました。「父なる神が私を抱きしめています」。そこで、ダナは彼の思考に巣食う、怒り、憎悪、虐待、恐れなど、すべての悪霊からくるものに対して、彼から去るよう命じました。落ち着いてくると、彼は人生で初めて天の父の平和を得ました。

　この神との出会いが、ジムを全く違う人へと変えました。孤児であるという嘘を長年抱えていた彼は、今や、愛され、守られている息子であると思うようになりました。幼少期には体験したことのないものでした。父親は存命中、ジムを情け容赦なく殴っていたことを後に語ってくれました。彼が自由を感じたのは、16歳で家を出た時でした。40歳を過ぎた今、初めて、彼は人生に本当の意味で向き合うことができるようになりました。天の父が与えてくださる無条件の愛が明らかにされ、それを受け入れることができたからです。

　父とのすべての交わりが、このような結果に終わるとは限りません。傷が深く、トラウマになっている場合には、更なる出会いが必要になるでしょう。神は、息子、娘、それぞれに合わせて、最適な時を持っておられると知ることが大切です。神は、いつ、どのように私たちと出会うのが最善なのかをご存知なのです。

キムのケース

　次は、経済的な危機の中でSOZOカンファレンスに参加した、キムという女性の例を紹介します。一緒にビジネスを成功に導いてきた夫が、過去17年間に渡り共同資金に手をつけていたことを、最近、告白しました。警察の捜査が入ったため、キムはカンファレンスに参加するために出国するこ

とにしました。

　最初のセッションで、彼女は祈りのために前に出てきました。

「祈りの課題は何ですか？」と導き手のキャロルが尋ねました。

「主人のジェリーのことです。私たちは結婚して40年になります。6日前に、彼がビジネスの資金を盗んでいたことがわかりました。今、彼は警察に追われていて、私はどうしたら良いのかわかりません」

　ティッシュを数枚キムに渡しながら、キャロルはもう一度尋ねました。「私に祈って欲しいことは何ですか？」

「私は主人を赦したいのですが、彼は17年もの間、私を騙していたんです。こんな人をどうしたら赦せるでしょうか？」

「では、イエス様にこの状況をどう思うか、聞いてみましょう」

　キムは頷（うなず）き、頬の涙をぬぐいました。

「イエス様、私のこと、そしてこの状況をどう思われますか？」

　祈りを繰り返すと、キムの目が厳しくなりました。

「イエス様は、こんなことが起こって欲しくなかったと残念に思われています」

「それを聞いて、どんな気持ちですか？」

「慰められた気持ちです。でも、どうしてこんなことが起こってしまったんでしょう。イエス様は止めることができなかったんでしょうか？」

「では、なぜこのことが起こったのかを、イエス様に聞きましょう」

　キムは目尻に軽く触れました。

「何か聞いたり、感じたり、見たりしましたか？」

「何も。ただ真っ暗で、空っぽでした」

「それを見て、どんな気持ちになりましたか？」

「悲しいです」

「私の後に続いて言ってください。『長い間、嘘をついてきた主人を赦すことを選択します。そして、この大変な時に私を助けてくれなかった友人や家族を赦します。私は一人ぼっちだという嘘を捨てます。イエス様、あなたにこの嘘を渡します。代わりに、私にどんな真理を与えてくださいますか？』」

　数秒後、キャロルが尋ねました。「何か聞いたり、感じたり、見たりしましたか？」

「人生の危機に私を見捨てた友人がいます。主人が1人離れて立っています。

さようならと手を振っているかのように、腕を上げています」

「私に続いて言ってください。『私が大変だった時に、私を見捨てた友人を赦します。彼らを一番必要としていた時に、私から離れていった人たちです。そして、信じていた私を騙した主人を赦すことを選びます。結婚関係に裏切りを働いていた彼を、赦します。イエス様、私が主人を赦す代わりに、何を与えてくださいますか？』」

　キムは涙をぬぐいました。

「何か聞いたり、感じたり、見たことはありますか？」

「イエス様が主人を抱きしめています。2人は一緒に去っていくところです。どこに行くのかはわかりませんが、平安を感じています」

「では、続けて祈ってください。『イエス様、主人の世話をあなたに任せてもいいですか？　彼を守ってくださいますか？』」

　キムは、その祈りを繰り返しました。

　「でも、神は私も守ってくれますか？　神が私をこれ以上危険な目に合わせないと、信じていいのでしょうか？」

　「イエス様、あなたは私を守ってくださいますか？」

　キムはその祈りを繰り返しました。

　「では、今、イエス様に父なる神を連れてきてもらいましょうか？」

　キムは目を開いて、首を横に振りました。「いいえ、今日はもうこれで充分だと思います」

「本当に？　天の父にこの状況をどう思われるのか、聞いてみませんか？」

「いいえ、大丈夫です」

「もちろん、それでも問題ありません。でも、もし続けたくなったら、私かチームの誰かを見つけてください。私たちは喜んで、あなたと一緒に祈ります」

「ありがとうございました」

　そう言うと、キムは涙を拭いて、ゆっくりと去って行きました。

　その場での短いSOZOの祈りの中で、天の父に対する拒否感が明らかになり、キムは継続することができなくなりました。もし続けていたら、彼女は父親との関係に深い痛みを抱えていることに気がついたかもしれません。そして、その痛みが癒されることを通して、彼女が必要としていた平安がもたらされたことでしょう。継続できていたら、傷が癒され、父なる神と出会い、親しい交わりが持てたでしょう。しかし、彼女は継続ではなく、立ち去

ることを選びました。時に、進むための時間が必要なことがあります。

　キムの場合、イエスの真理によって、重要な啓示が明らかになりました。ジムに起きた打ち破りは、さらに劇的なものでした。神の愛に打たれて、彼は砕かれた者として床に倒れましたが、神の息子として立ち上がりました。キムは、今の状況に対処する鍵となる洞察は受け取りましたが、ジムが天の父との打ち破りを通して体験した完成を彼女が受け取るには、時間が必要でした。

　孤児の考え方がどのように形成されたのかを理解するには、彼らの生い立ちを知る必要があります。一般的に考えられているように、孤児的思考は子供時代に形成されます。育つ過程において、家庭内で交わされる会話から受け取るメッセージを土台として、子供達は人生を解釈しています。ジムのように、虐待を受けて育った子供たちは、一般的に、世の中は安心できる場所ではないと考えます。このような子供達は、守ってくれる人がいない中で、自分で自分を守ろうとします。

　思春期に形成される考え方は、他者との関係性にも影響を及ぼします。個々の人生経験によって、神やその他への捉え方が歪（ゆが）められます。また、痛みやトラウマを正当化しようとして、偽りの現実を作り出します。その現実は、作り出した人には正しいと思えますが、人の先入観が意味を歪（ゆが）め、不信仰な見方に繋がります。SOZO では、このような現象を「色眼鏡（いろめがね）で人生を見る」と呼びます。

　成熟したクリスチャンでさえも、色眼鏡で人生を見て誤解している可能性があります。犠牲者という眼鏡をかけている人は、親切な行為を支配や 辱（はずかし）めと受け取りがちです。ジムの色眼鏡では、神は恐いものであると見ていました。この間違った認識を取り扱わない限り、神は安全であると見ることが不可能です。どのような教えであっても、この疑いを見抜くことができませんでした。ただ、色眼鏡の存在に気付き、真理が明らかにされた時に初めて、ジムは天の父の心にある真理を知ることができたのです。

　多くの人は、いくつもの色眼鏡に苦しめられています。この眼鏡には、恐れ、拒絶、プライド、優越感、批判や嫉妬等の様々な名前をつけることができます。どのような眼鏡であっても、その存在に気づくことができたら、イエスとともにそれらをキリストの心と取り替えることができます。

私たちは、さまざまの思弁と、神の知識に逆らって立つあらゆる高ぶり
を打ち砕き、すべてのはかりごとをとりこにしてキリストに服従させ、
また、あなたがたの従順が完全になるとき、あらゆる不従順を罰する用
意ができているのです。(Ⅱコリント一〇・5、6)

　一人ひとりの思考を捕らえることで、キリストの考え方に同意することが
できるようになります。
　良い物語には、3つの異なるキャラクターがいると言われています。それ
は、被害者（脅されていると感じる人）、悪者（脅している人）、ヒーロー（自
分には力があり、どんな状況でも恐れる必要がないことを理解している人）、です。
被害者は現実を危険だと見ています。歪んだ考えを持っている人は、問題を
他人のせいにして文句を言うか、諦めるか、もしくはヒーローが来て問題を
解決してくれることを待ちます。悪者は、人生をコントロール出来る脆弱な
ものと見ています。両者とも、自分のために他者を利用します。ステファン・
デシルバ氏が彼の著書『お金と幸いな魂』(マルコーシュ・パブリケーション) の中で示
したように、被害者も悪者も（対極にいるのですが）ともに孤児の霊に囚わ
れています。
　しかし、ヒーローは、キリストにある勝利者の思考で人生を見ます。キリ
ストが十字架で勝ち取ってくださったことで、自分たちはすでに勝利者であ
ることを知っているからです。ヒーローは、神の約束以外には手を出さない
ので、誰も故意に傷つけることなく勝利を得ることが出来るのです。
　相談者が犠牲者や悪者の眼鏡をかけて SOZO を受けに来る時、彼らの状
況に自ら持ち込んでいる「真実」は、神のそれとは真逆です。犠牲者は、神
は忙しいか無関心なため、何もしてくれないと感じており、悪者は、自分が
助けを必要としていることさえ否定します。両方とも強力な欺きの眼鏡をか
けています。犠牲者の考え方は自己憐憫に陥り、悪者の考え方は自分を正当
化する霊とともに歩んでいます。
　被害者意識や悪者意識から相談者を解放することは、真理を知っている唯
一のお方に紹介することです。SOZO セッションでは、「なぜ神はこのよう
なことが起こるのを赦されたのか」などの難しい質問が投げかけられます。
導き手はそれらの質問を神に持っていきます。自らが答えるのではなく、相
談者を神との対話へと導くのです。その中で、色眼鏡の存在が明らかにされ、

神が持つ真理と置き換えることができるようになるのです。

　では、ここで、色眼鏡が取り去られた例を1つ紹介します。

スーのケース

　ある午後、テレサが導いたスーが、神との関係をさらに強めたいと希望して、予約を取りました。

　テレサは、「父なる神をどのように理解していますか？」と尋ねました。

「それはどういう意味ですか？」

「どのように神を見ていますか？」

「神はいつも遠くにおられるように感じています。私が近づこうとする度に、冷たさと虚しさを覚えます」

「では、私に続いて言ってください。『私は、距離のあった、親しくしてくれなかった、私の居場所を作らず、安心感を与えず、受け入れてくれなかった父親を赦します。父なる神が、私と親しくなろうとしていない、私にとって安心できる場所ではないという嘘を捨てます』」

　スーが祈りを繰り返すと、その目が輝き始めました。

「天のお父さん、真理を教えてください」

　スーの唇が不機嫌に歪みました。

「神は、何と言われましたか？」

「この答えが神からだと、どうしてわかるんでしょうか？　もしかしたら、私の考えかもしれません。」

「私の後に繰り返して言ってください。『私の言うことは間違っていると思わせた父親を赦します。話す前に、自分の言葉に価値があるか確かめないといけないと思わせた父親を赦します』」

　祈り終えると、スーの顔が安らぎました。

「信じられないです。私はいつも、父親の質問に答える度に、正しく答えられないんじゃないかと恐れていました」

「天のお父さんは、初めにあなたに何と言われたんですか？」

「『もし、私が真剣に取り扱わなかったら、どうする？』と言われました。」

「私の後に続いて言ってください。『騙されやすい私をからかった父親を赦します』」

　こう祈ると、スーは泣き始めました。

「私がいつも感じていたことは、これなんです。私は物笑いの種。みんなは私のことを笑っている、と」

「スー、その人たちを赦したいですか？」

「私を笑いものにした全ての人を赦します。天の父も私のことを物笑いの種だと思っているという嘘を捨てます。神様、真理を教えてください。私をどう思われていますか？」

「何か、聞いたり、見たり、感じたりしますか？」

「神様が両手を広げています。満面の笑顔で」とスーは、涙を流しながら答えました。

「どうしたいですか？」

「神様の胸に飛び込みたいです。でも、もし拒否されたら…」

「私に続いて言ってください。『私に期待をもたせて、裏切った全ての人を赦します。父なる神も同じように、私を愛すると言いながら裏切る、という嘘を捨てます。天のお父さん、本当のことを教えてください。』」

「神は、『私には力がある』と言われました」

「神を信じますか？」

　驚いたように顔を上げて、「はい、信じます。私は天のお父さんを信じています。正直に言うと、すごく強くなったような気がしています」

「天のお父さんは遠くにいる、私をからかおうとしている、という嘘を破棄します。イエスの御名によって、拒絶、恐れに向かって命じる。出て行け！」

　スーに笑みが広がりました。

「まだ、虚しさを感じますか？」

「いいえ」

「いつでも神様の胸に飛び込んでもいいかと、聞いてみたらどうですか？」

「いいって言われています。私はいつでも神と一緒です」

「素晴らしい！」

　神の介入により、スーが掛けていた幾つもの色眼鏡が取り除かれました。まず、彼女は、神は遠くにいると信じていました。テレサは、スーが父親を赦すことによって、その嘘を取り除く手助けをしました。次に、スーは拒絶の恐れを持っていました。始めと同様に、それらの否定的な思いをもたらした人たちを赦すことにより、彼女は自由にされました。

　２つの色眼鏡が原因で、スーは神の真理を見ることが出来なくなっていま

した。色眼鏡で見ていたため、神の愛を歪んで捉えていた彼女は、その辻褄〔つじつま〕を何とか合わせようとして疲れ切っていました。感謝なことに、神は彼女の色眼鏡を真理と置き換えてくださいました。そのことにより彼女の否定的な考えが取り去られ、神との関係が強められたのです。

　以降の章は、色眼鏡を外し、人生を歩むなかで負い続けてきた傷を癒し、神と密接に繋がるための手助けになることを目的に書かれています。

グループで話し合う質問

1. 自分が戦っているあらゆる不信仰な考え方に気づくことができますか？
2. もし、不信仰な考えを持っているかどうかわからない場合は、神に「色眼鏡」をかけているかどうかを示してもらうよう神に求め、それを書き留めてください。

課題

1. 思いの中に不信仰な考えがあるなら、あなたが最初にそれを真実だと信じたのはどこなのかを聞いてください。
2. その記憶や出来事の中で、主がどこにおられたのを聞いてください。
3. その状況において真理は何かを、神に聞いてください。
4. その出来事の中で、あなたを傷つけた人がいれば、その人を赦す祈りをしてください。
5. その出来事により、信じた嘘や間違った考えがあれば、それを破棄してください。
6. あなたが身につけ、人生を見つめてきた「色眼鏡」を神に渡してください。
7. これらの嘘や考えと引き換えに、あなたに何を与えたいのかを神に尋ねてください。

参考文献
ダナ・デシルバ (Dawna De Silva)、『Who's Your Daddy?（あなたのお父さんは誰？）』(未邦訳)

ジャック・フロスト (Jack Frost)、『Experiencing Father's Embrace（御父の抱擁を体験する）』(Destiny Image、未邦訳)

テレサ・リブシャー (Teresa Liebscher)、『Bubble with Father God（父なる神とはしゃ

ぐ）』（未邦訳）

テレサ・リブシャー (Teressa Liebscher)、『Father God's Shield（父なる神の盾）』（未邦訳）

ポール・マンワーリング (Paul Manwaring)、『Kisses from a Good God：A Journey Through Cancer（良い神からのキス：ガンに立ち向かう旅路）』（Destiny Image、未邦訳）

第4章

備え、守る神

　三十代の母親であるグレースが、サラのオフィスに入って来ました。しばらく話す中でグレースは、父親から虐待を受けていたことを打ち明けました。幼少の頃に受けた他の傷と共に、この虐待は備えと安心の領域において大きな欠如をもたらしました。

グレースのケース

　グレースは経済的に恵まれた結婚をしており、快適な生活を送るだけの十分なお金を持っていたにも関わらず、貧困の恐れに囚われ続けていました。彼女はご主人の出費を批判し、たとえば健康的な食品や新しいタイヤ、子供たちの防寒着などの必要なものでさえ、滅多に買いませんでした。薄着をしている子供たちが風邪を引いた時に、夫婦関係が限界に達しました。激しい夫婦げんかをした後で、彼女はSOZOセッションの予約を入れたのでした。「一体何が問題なのか、私にはさっぱりわからないんです」と彼女は話しました。
「家計簿を開くたびに不安になるんです」
「何故だと思いますか?」とサラが尋ねました。
「わかりません」
「そうですか。ではこの問題を天のお父さんに持って行きませんか?　どのようにお考えなのかを聞きましょう。目を閉じてください」
　彼女は目を閉じました。
　サラは1つひとつの言葉を慎重に選びながら、グレースが繰り返すことができるように、簡単な祈りで導きました。
「天のお父さん、自分自身に対して信じている嘘がありますか?」

グレースが沈黙している間、サラは静かに待ちます（SOZOでは相談者と神の対話を大切にし、その間は邪魔にならないように静かに待ちます）。1分ほどの沈黙の後で、何か聞いたり、見たり、感じたりしたことはないかと尋ねました。

「雲を見ました」と彼女が答えました。「それと稲妻も」

「それを見てどんな気持ちになりましたか？」

「ちょっと怖い感じでした」

「天のお父さんに違う質問をしてみてもいいですか？」

「もちろんです」

「では、繰り返してください。『天のお父さん、あなたについて私が信じている嘘があれば教えてください』」

　サラは彼女が答えるまで1分ほど待ちました。彼女が答える準備ができたと感じると、サラは何か聞いたり、見たり、感じたりしたことがないかと尋ねました。

「はい」と彼女は答え続けました。「私が、神は安全な方ではないと信じていると語られました」

「その嘘をどこで学んだと思いますか？」

　彼女は固まりました。サラは、この場所が何でも話せる安全な場所だということ、ここで話したことが外へ漏れることはないこと、そして自由を得るにはリスクを犯さなければいけない時があることを話しました。グレースは涙にぬれた顔を上げました。

「父から学びました。毎週土曜日になると、家の手伝いが上手くできない私を、父はベルトで叩きました。母はただ立って見ているだけでした。そして兄が叩かれることはありませんでした。決まっていつも、私だけが怒られました」

彼女は両手で顔を覆って泣きました。

　しばらくの間、サラは彼女が泣くのに任せました。彼女の準備ができたと感じた時、サラは次の質問をしました。

「その記憶を天のお父さんへ持って行きませんか？　そして、天のお父さんが何と言われるか聞いてみませんか？」

「それには何か意味があるんですか？」

「あると思います。『天のお父さん、この記憶の中にあなたはおられますか？』」

　サラは祈りを繰り返すようグレースを促しました。彼女の表情から何かが

起こっていることを感じたサラは、彼女の準備ができるのを待って、何か見たり、聞いたり、感じたりしたかを聞きました。

　彼女は涙をふくと、神から与えられた映像について話しました。

「主が私と父の間に立っていました。父が私を叩くたびに、天のお父さんは最もひどい殴打を私に代わって受けてくれていました。そして、全てが終わると私を抱きしめて、私は彼にとって大切な娘だと言ってくれました」

　話し終わらないうちに彼女の目は涙であふれてきました。それをハンカチでそっとぬぐうと、彼女は椅子にもたれかかりました。神との出会いによる変化を聞こうと、サラは彼女にどんな感じがしたかを尋ねました。

「愛されるって素晴らしい感覚ですね」

「それは良かった。天のお父さんに守ってくださった感謝を伝えましょう。そして、他にも何か取り組むべきことがあるかどうかを尋ねてみませんか？」

「そうしましょう」

「私に続いて言ってください。『天のお父さん、あなたは私を守ってくださる方だということを教えてくださってありがとうございます。私が1人だと感じていた時も、大変な中にあった時も、私を守ってくださっていたという真理を受け取ります。私が愛され、守られる価値のある、あなたの大切な娘だという真理を、今、イエスの御名により受け取ります』」

　グレースの話を続ける前に、サラが守るという言葉を何度も使った理由についてお話します。彼女の問題の多くは、「誰も守ってくれない」という記憶から生じています。子供の時にこの「守られる」という必要が満たされなかったために、大人になってからも彼女には常に不安が付きまとっていたのです。彼女には自分自身、他人、そして神に関して信じている嘘を明白にし、神の真理と照らし合わせることが必要でした。そうした時に初めて、天の現実（神が物事をどうご覧になっているか）が彼女の人生に解き放たれたのです。

　守るという言葉を繰り返すもう1つの理由は、SOZO の中の「父の梯子」と呼ばれる方法によるもので、天の父は3つの鍵となるもの「備え、守り、アイデンティティー」を与える存在だという認識があるからです。この方法については、後の章で詳しく説明します。グレースの痛ましい記憶の中では、この「守られる」という必要が、父の暴力により冒涜されていました。父親

に守られなかっただけでなく痛めつけられた体験が、嘘が根付き育つ環境を作っていたのです。

　彼女の場合、父親に愛されるに値しない存在だという嘘を取り消すよう、聖霊に促されました。彼女はそれまで、この嘘を口にしたことがありませんでしたが、聖霊がサラにこの言葉を祈りの中に含めるようにと導かれたのです。それはまさしく、彼女が必要としている言葉でした。父から受けた傷に向き合うことで初めて、こころの中に満たされない欲求があることに気がついた彼女は、それを神に持って行き、癒しを受け取ることができたのです。

　SOZO セッションで起こる素晴らしい変化は、聖霊との関係によるものです。サラが何度も「守り」という言葉を使ったのは、神のアイデアでした。そこで、神との歩みが本格的に始まるのです。SOZO では、神の霊に頼ることが常に強調されます。

　事実、私たちの誰一人として相談者に何かをする事はできません。私たちがする事、そして SOZO チームが教えられることは、ただ、神と共に問題に取り組む、そのひと言に尽きます。SOZO の導き手は、神が、癒しを必要としている問題が何であり、神が相応しい時にそれを明らかにして下さると信じています。そのようにして、導き手たちから自分で何かをしなければいけないというプレシャーを取り除き、主に栄光を帰すのです。

　サラはグレースに時間を与えました。長年の虐待によって信じていた、守られるに値しないという嘘により助長されていた痛みは軽減しました。次第に彼女はリラックスしていきました。続ける準備ができたと感じられた時、サラは彼女に次に進んでもいいかと尋ねました。
「はい」
「では、天のお父さんを思い描いてください。何が見えますか？」
　今のグレースは落ち着いた様子で、その口には笑みがありました。しばらくの沈黙の後、サラは何か見たり、聞いたり、感じたりする事はないかと尋ねました。
「はい、天のお父さんが見えます。私と一緒に庭を歩きながら、お互いの好きな植物について話しています」
「あなたはどんな気持ちですか？」
「幸せです。私は今まで教会以外の場所で神様と交わった事はなかったと思

います」

「では、神様に違う質問をしても構いませんか？」

「はい、もちろんです」

「私に続いて言ってください。『天のお父さん、私が自分自身やあなたについて信じている、今、取り扱うべき嘘は他にありませんか？』」

　ここでもサラは、彼女が探るための時間を1分ほど取りました。

「主は、私が父からの虐待によって傷物にされたという嘘を信じていると言われました」

「主はそのことについてどう思われていますか？」

　グレースは微笑みながら答えました。

「私は天のお父さんのプリンセスだって言われました。敵が何を仕掛けてきても、決して成功しないとも」

「それを聞いてどんな気持ちですか？」

「楽になりました。でも、それは話がうますぎて、真実には思えません」

「そうですか。では赦しに入りましょう。私の後に続いて言ってください。『天のお父さん、私は傷物だという嘘を教えた父親を赦すことを選びます。父親や他の人の否定的な行動に影響される存在だという嘘を捨てます。また、私は傷物だという自分で決めた評価をあなたに渡します。私はあなたの娘、美しいプリンセスであることを感謝します。あなたは、私をわたしのものと呼んでくださり、ご計画のために用いてくださることを感謝します。この真理を、今、イエス・キリストの御名によって受け取ります。（Ⅱテモテ一・9参照）』」

　祈り終わると、サラはグレースに約1分間、この真理に深く浸る時間を取りました。その後で続ける準備ができたと感じると、サラは彼女にどう感じたかを尋ねました。目を開けると、彼女は笑い出しました。

「今は信じられます」

「良かった。他に神があなたに語られることがないか、聞いてみましょう」

「素晴らしい」

アイデンティティーの確立

　ここからのセッションはアイデンティティーがテーマになります。神はグレースに、守られるに相応しい者だという恵みを示された後で、その理由を語られました。神の真理を信じることに困難を覚える事は、虐待を受けて育っ

た人に共通する特徴です。それはとても手の届かないものに感じられるようです。このような時には、赦しの祈りを捧げることで、苦味を手放し、癒しを招きます。（マタイ六・14、15参照）

　グレースの場合、父親を赦すことが必要でした。父親との不安定な関係のため、彼女には正しいアイデンティティーが語られることはありませんでした。アイデンティティーを与えることは、全ての親、特に父親に任された子供への責任でもあります。母親も同様の存在ですが、私たちは父親こそ子供にアイデンティティーを形成する主たる存在だということが分かりました。子供たちが学校で何か失敗をしたり、課題を正しくこなすことができなかったり、打席で三振したりするような時でさえ、父親がかける言葉によって自分自身への見方を歪めてしまう傾向があるのです。そして、その父親の言葉は、母親や友人の言葉よりも影響力があります。

　もし、子供が犯した失敗を父親に批判されたり罰せられたりすると、その子供は人生や父なる神を、色眼鏡をかけて見るようになります。このような子供たちは、失敗を恐れ、完璧を目指し、行ないに重きを置く価値観を持ち育つことになります。父親が失敗を受け止め、子どもを外に連れ出して遊ばせるなら、その子供は、失敗を恐れるものではなく、完成までの過程の１つであると捉えることができるでしょう。

　これから出てくる例は、天の父は常に私たちの罪を赦し、私たちを落ちた場所から引き上げ、次に進むための励ましをくださる素晴らしい神だということをよく表しています。

　悲しいことに、グレースは父親からのそのような確信を得ることができませんでした。その結果、彼女のアイデンティティーは価値のない傷物となっていたのです。彼女は天の父と出会い、彼女への確信を得ることを通して傷の癒しを受け取り、また自分自身を信じることができるように変えられました。

　初めの例にあるように、グレースは「守られる」ことに取り組んだことで、天の父を愛し、守ってくださるお父さんとして見ることができました。相談者がどのように天の父を見ているかを知る重要な要素に、「備え、守られる神」という価値観があります。もし、相談者の持つ天の父のイメージが怖いものなら、私たちは彼らと一緒に彼らの信じる嘘を見つけます。また、相談者が天の父の声を聞くことが難しい時には、聞く対象をイエスや聖霊に変えます。

　これは、宗教的かつ律法的な環境で育ってきた人たちにも同様のことが言えます。そのような人々は、神を聞いたり、見たり、感じたりすることができないと教えられて育ちます。彼らの心の中では、そうすることは神への冒涜なのです。この場合にも、相談者が最も親しみを感じている神格、イエスや聖霊とともに天の父との問題に取り組むのが良いでしょう。このようにして、人が神との関係を徐々に築いていくことで、隠されていた嘘を見つけることが可能になるのです。

　ほとんどのセッションでは、各神格の誰と最も親しみを感じているかを相談者に尋ねることから始めます。これは、相談者と導き手の信頼関係を築き、安心できる環境を作ることにも繋がります。しかしながら、SOZO のガイドラインは原則であってルールではありません。霊が導かれるままに任せること、これが重要です。もし SOZO の導き手が、この質問から始めたくないと感じる時には、それでも構いません。霊に従うこと、それが常に最優先事項です。

　グレースの場合では、イエスか聖霊に聞くことが最も快適なスタートだったでしょう。しかしサラは、聖霊から父に祈るよう導かれていると感じたため、初めに天の父なる神を紹介しました。幸いにもグレースにとってこの方法が成功しました。父なる神の愛への飢え渇きが、彼女の恐れを覆ったのです。

　しかしながら、この方法がいつも有効とは限りません。恐れのために神に近づくことができない場合もあります。前の章にあったジムのケースを思い出してください。父親からの虐待という関係があったため、ジムは愛なる神に近づくことを避けていました。それどころか、天の父に祈ることさえ不安を感じていました。これは、彼が息子としてではなく被害者として神を見ていたからです。ダナが、ジムを父なる神のところへ連れて行ってくださるよう、イエスに祈ったことに注目してください。いくつかの嘘を取り扱い、色眼鏡を捨てた後に、ようやくジムは、全ての父、ましてや天の父は自分の父親のようではないことを理解することができました。

　幾つもの段階を積み重ね、どのようにグレースを導いていったのかに注目することが重要です。天の父に真理を聞く前に、サラは彼女に天の父を思い浮かべるように言いました。その後、彼女が天の父に対して信じている嘘を見つけるよう尋ねています。嘘を見つけ、その力を無効にすること、これが

SOZOの目的の1つです。もし彼女が、天の父を安心できる自分を守るお方だと思えていないなら、そのような相手に、安心や真理を期待することができるでしょうか。人は、自分が見たいと望むものを見るものです。彼女が色眼鏡を外した結果、神の真実なる愛が明らかになったのです。

　サラは、このセッションで他に取り組みたいことがないかとグレースに尋ねました。彼女は希望に満ちた目でサラを見つめ、そのことについて思いを巡らしました。

「私がここに来たのはお金に関する問題のためです。主人は、私が全てを貯金してしまうと言います。可哀想な子供たち…、十分に与えられない中で育つのはとても辛いことです。子供たちには私のようにはなってほしくないんです」

「わかりました。あなたは、子供たちに何が最善かを知りたいのですね。では、」

「天の父がなんて言われるのかを聞くんですね」

「そうです。私の後に繰り返して言ってください。『天のお父さん。経済について私が信じている嘘があったら、それを教えてください』」

　グレースはこう祈り終えると、15秒程沈黙してから顔を上げました。

「神は、お金がなくなること、決して十分なお金を手にすることができないという嘘を、私は信じていると言われました」

「では、天の父に、初めにこの嘘を習ったのはどこかを聞いてください」

「私の父からです。彼はいつも酔っ払っていて、私たち子供のためには何も残っていませんでした。それは大したことではないとわかっているのですが、それでも、クリスマスの後に学校に行って、他の子供たちがクリスマスに貰ったプレゼントの話しを聞くのが嫌でした。兄と私は、防寒着さえ持っていませんでした」

「あなたの人生にも、同じことが起きているのがわかりますか?」

「はい」

「父親を赦して、この備えるという問題を取り扱いたいと思いますか?」

「はい」

「では、私の後に続いて言ってください。『天のお父さん、十分に与えられることがない、いつもお腹を空かしていなければいけない、という嘘を教えた父を赦すことを選びます。天のお父さん、この嘘を信じて、子供たちを守るためにと必要以上にお金を貯めることに執着してきた私をお赦しください。

この嘘を、今、あなたにお渡しします。そして、心にある全ての苦味を捨て去ります。嘘の代わりとなる真理を教えてください』」

　祈り終えるとサラは、思い巡らす時間を1分間、グレースに与えました。その時が終わると、彼女は椅子に座りなおしました。

「神は、お金が詰まった大きな袋を渡してくださいました。地球と同じくらいの大きさの袋でした。それは神の収入源で、決してお金に困ることはないと私に約束してくださいました。私が必要な時はいつでも、その袋から取っていいのです」

「それは素晴らしいですね。それを聞いてどんな気分ですか？」

「いい気分です」

「天のお父さんは、あなたの貯め込む性質については何か言われましたか？」

「いいえ、その必要はありません。私は、それがどんなに馬鹿げたことかがわかりました。このセッションが終わったらまず、子供たちの服を買いに行こうと思います」

「それは子供さんが喜ばれますね。では、他に神が取り扱いたいと願われている問題はありませんか？」

　グレースは頭を下げました。1、2分後、サラは彼女に何か見たり、聞いたり、感じたことがないかを尋ねました。1分待ってから、彼女は頭を振りました。

「いいえ」

「わかりました。今、どんな気分ですか？」

「とてもいい気分です」

「この真理を歩むために、これから何をしていきますか？」

「祈ります。このセッションで教えられた真理を歩み続けます」

「それは賢明ですね。もし、これらの真理が弱まるように感じた時、それは成長を邪魔しようとする敵の策略だということを思い出してください。何かを得た後には、それを失う可能性もまたあるということです。気落ちしないで、進み続けてください」

　サラは1枚のメモを渡しました。

「今、天の父から聞いた真理をこの紙に書きました。セッションでは、どんな嘘も否定的なものもありませんでしたね。この紙を冷蔵庫や枕元など、目につきやすい場所に貼ってください。困難を覚える時には、この紙があなたに神の真理を思い起こさせてくれるでしょう。これを読んで、紙に書いてあ

る今日ここで学んだ真理が更に深まるように、『真理に関する聖句を教えて
ください』と聖霊に聞いてください」

　グレースはその紙を受け取りました。「ありがとうございます」

「どういたしまして。近いうちに、何かいい話が聞けることを楽しみにして
います」

「良い報告ができると思います」

「楽しみにしていますね」

「ありがとうございました」

　グレースはメモを受け取ると、神と繋がり、期待に満ち、来た時とは別人
となって立ち上がりました。神との親密な関係への歩みは、始まったばかり
です。天の父との関係により、さらに明確に神の御声を聞くようになるでしょ
う。そして、彼らの関係性が更に強められていくのです。今後も取り組むべ
きことが多く出てくるでしょう。この出会いは、彼女の人生に起こる全ての
問題を解決するものではありません。今まで植えつけられてきた間違った思
い込みの根を引き抜くためには、イエスと聖霊との関係を深めていくことが
大切です。やがて、そのような繋がりが強められることでしょう。グレース
は今、天の父との新鮮な関係を楽しんでいます。

　セッションの最後に、グレースは備えの領域における打ち破りを体験しま
した。財政的に安定していない父親を赦した後、グレースは癒しを受け取り
ました。

　このセッションで神の真理を受け取ることにより、備え、守り、アイデン
ティティー全ての必要が満たされたのです。

　これは、全てのセッションに当てはまるわけではありません。優れたアイ
デンティティーを持っている人でも、経済的な問題を抱えている場合があり
ます。また、守られている感覚がある人でも、神が自分のことをどのように
見ているかに躓いている場合もあります。相談者の問題が何であれ、導く人
がすべきことは神と協力関係を築き、問題を神に持って行くこと。傷を明ら
かにし、悪霊との繋がりを破棄し、そこに繋がる嘘を神の真理に置き換える
ことです。

　グレースは他の人たちと同様、神との親密な関係に入るための初めの一歩を踏み出しました。彼女は、神のみことばにある真理、つまり、神は彼女に敵対するものではなく、味方である（ローマ八・31 参照）、主の山には備えがある(創世記二十二・14 参照)、罰の恐れなしに神に近づくことができる(ヘブル四・16 参照) ことを信じました。イエスの扉から神の臨在に入り、恐れることなく天の父との健全な関係を築き始めることができたのです。彼女は、天の父が守り、備え、正しいアイデンティティーを与えてくださることに対して、感情的、身体的そして霊的な必要を満たしてくださる方であると信じ始めました。人生における新しい側面が開かれ始めたのです。

　相談者がそのようなパラダイムシフト注1 を体験する時には、その新しい真理に歩むことと、3ヶ月から6ヶ月後にもう一度セッションを受けることを勧めます。導き手は相談者がSOZO セッションで見出した真理に留まっているかを確認し、それに基づいて、彼または彼女が耳を傾け、反応している嘘や神に繋がっていない部分を探し出すことが大切です。

注1　当然のことと考えられていた認識や価値観などが劇的に変化すること

グループで話し合う質問

1. 「神の備え」に関してあなたが信じている嘘はありませんか？
2. 経済に関する不安がありますか？
3. 財産を溜め込んではいませんか？
4. お金を使いすぎたり、予算内に収めるのは難しいですか？
5. 必要以上に買いすぎたり、必要な物も買わないことがありますか？
6. 神の守りについて信じている嘘はありませんか？
7. 自分は恐れに囚われていると思いますか？
8. 他の人が自分をどのように見ているのか気になりますか？
9. 神があなたを勇敢な人に創造してくださったら良かったのに、と思いますか？
10. 自分自身について信じている嘘はありませんか？
11. よく他の人と自分を比較しますか？
12. 他の人の賜物や人生を羨ましく感じますか？
13. 自分の外見はあまり良くないと思っていますか？
14. 自分は、神からの祝福を受けるにふさわしくないと思っていますか？

15. 過去を恥ずかしく感じていますか？
16. 自由になれない何かがあると感じていますか？

課題

　上の質問で「はい」と答えた質問には、下の祈りをしてください。

1. 目を閉じて、これらの習慣や恐れ、嘘また思い込みを信じたのはいつかを、天の父なる神に聞いてください。
2. それらの習慣や恐れ、嘘、思い込みを受け入れた時、神はどこにおられたのかを聞いてください。
3. 神が見せてくださった状況の中で、何が真理なのかを明らかにしてくださるよう聞いてください。
4. あなたを傷つけた人、またそれらの嘘や恐れ、思い込みを教えた人を赦してください。
5. これらの経験から、あなたのうちに形作られた神にふさわしくない考えや信じている嘘を、主に渡してください。
6. 悪霊との関係や同意、またはそれらの状況の中で敵に従っていることがあったら、それを破棄してください。
7. 今、あなたが破棄し、神に渡したことに代わるものとして、何をくださるのかを神に聞いてください。
8. 神の真理によってあなたにもたらされた真実と自由に、感謝を捧げてください。

参考文献

スティーブン・デシルバ（Stephen De Silva）『お金と幸いなるたましい』（マルコーシュ・パブリケーション）

スティーブン・デシルバ（Stephen De Silva）『お金と幸いなるたましい　基礎編』（未邦訳）

ビル・ジョンソン（Bill Johnson）『Generosity : A Military Move（寛容さ：軍の戦略）』（未邦訳）

第 5 章

父の梯子

　父の梯子について、まずその概要から始めたいと思います。

　父の梯子とは、SOZO ミニストリーで用いる方法の 1 つです。幼少期に学んだ嘘が各神格との関係にどのような影響を及ぼしているかを明らかにするために用いられます。例えば、父親との関係が上手く持てなかった人は、天の父との関係を安心して築き上げるのに苦労するかもしれません。私たちは、多くの場合、幼少期の家族関係から学んだ関係性と、神格との関係性と一致することに気づきました。父親のことが信じられない、または恐れている場合、天の父を愛なる「父」として受け入れることは難しいのです。

　この父の梯子という概念はどこから生まれたのでしょうか。それは、友人の牧師であるアラン・レイによって初めて紹介されました。彼は、カウンセリングをする中で相談者と一緒に見つけた必要と不安について教えてくれました。彼が、人としての必要と神がその必要を満たすためにどのように私たちをデザインしてくださったのかを説明した時、私たちが SOZO のセッションで遭遇していたことは、この考えと一致していることがわかりました。この父の梯子という方法は、聖書に書かれている家族という制度に土台を置いています。神が初めに造られた制度、それは家族でした。家族という単位は、父なる神、イエス・キリスト、聖霊という三位一体の神の機能を表すものです（創世記一・26 参照）。家族のうちの誰かが、自分に与えられている役割を果たさない時、その結果、起こる痛みと混乱が、そのまま私たちの神とイエス、聖霊に対する理解に影響します。

　父の梯子チャートは、私たちの身体、魂、霊の必要を表しています。各場所にはそれぞれ違う必要があります。

・身体はアイデンティティー / 価値、守り、備えを必要とします（ヨブ記

四二・10 参照)

・魂はコミュニケーションと交わりが必要です。（Ⅰペテロ三・20 参照）

・霊が必要とするものは、慰めと教えです。（ローマ人への手紙八・16 参照）

　この表は、この法則をわかりやすくするために表にしたものです。

表Ⅰ

	身体 アイデンティティー 価値・守り・備え	
	魂 交わり コミュニケーション	
	霊 快適さ・慰め・教え	

　父の梯子には、身体、魂、霊のそれぞれが必要とするものが書かれています。私たちは、これらの必要は、神によって私たちのうちに置かれ、生まれてから死ぬまで存在するものであると信じます。人は、家族との関係性を土台とし、これらの必要が満たされるかそうでないかを判断します。そして、子供の頃に形成されたそのような考え方は、大人になった後にも影響を与えています。

　家族がその子供や伴侶、または、友だちに対して彼らの必要を満たさない場合、そこに嘘が発生します。それらの嘘が、個人が周りの人や自分自身、または神との繋がりを難しくします。父の梯子は、SOZO の導き手がそのような嘘を素早く見つけるのに役立ち、神格に関する思い込みを打ち破るためにも有効です。

　世界的課題が今日の私たちに伝えようとしていることとは対照的に、家族

は３つの異なる要素：父親、母親、兄弟姉妹（一人っ子の場合を除く）から成り立っていると考えます。そして、それぞれの要素には、個人の健全な成長を助ける独自の役割があることに気づきました。

表２

	身体 アイデンティティー 価値・守り・備え	父親
	魂 交わり コミュニケーション	兄弟姉妹 友だち
	霊 快適さ・慰め・教え	母親

　子供たちは主に父親とのコミュニケーションを元にして、自らのアイデンティティーを建て上げます。また父親の子供への接し方や発言によって、子供たちは自分に対する価値観や他者との関わり方を身につけます。父なる神はイエス・キリストがバプテスマを受けられた時に、「**これは、わたしの愛する子、わたしはこれを喜ぶ。**」（マタイ三・17、一七・5、マルコ一・11、ルカ三・22）と言われました。この言葉により、イエスが何者であり、どのような権威を持つ者かを明確にされたのです。イエスと父なる神との信頼関係は、過小評価されるべきものではありません。（ヨハネ五・19 参照）

　父親が子供たちをどのように見ているのか、父にとってその子が何者であるのかを上手く伝えられないと、子供たちのアイデンティティーは混乱したものとなります。そして、その混乱は子供の行動にも影響を及ぼします。そのような子供は自分の領域を確かめようと、また自分が本当は何者なのかを社会の中で試すような行動をとることになるでしょう。反対に、自分が何者であるかを自覚している子供は、その自覚に沿った行ないをするものです。父親からどのように見られているかによって、子供たちの内面に形成される

価値観の基盤が人生を成功に導く健全な選択にも影響を及ぼします。

　また、父親には子どもを守る義務があります。健全な家庭において、子供たちが恐れを感じる時には父親に助けを求めるものです。多くの場合、父親が家族の中で最も強く大きな存在のため、子供たちが保護を求めて逃げ込む場所となるからです。子供の頃に父親に守られる体験をしてこなかった場合や、更に悪いことに、父親によって安全を脅かされる体験をして成長した大人たちが、安心を得ることに困難を抱えている状況を、私たちは幾度となく見てきました。

　最後にもう１つ。父親には家族に対して経済的な安心を提供する義務があります。母親の収入の方が多い場合においても同様です。父親が経済的備えを与えることができない場合、大人になっても、満ち足りないという思考パターンを抱え続けることになります。

　家族という単位の中での兄弟姉妹や友人の存在は、コミュニケーションや交わりにおける必要を満たす役割があります。通常、彼らは秘密を打ち明けられる存在です。親と良い関係を持っている子供であっても、個人的な秘密は親友だけに話すことが多いでしょう。また、友人や兄弟姉妹との喧嘩は、子供たちが人との境界線や対立した場合の解決方法を学ぶ重要な経験となります。私たちは社会生活での人との交流を通して、人との付き合い方や健全な境界線の持ち方を学んでいきます。兄弟間や友人からいじめられた体験は有害な考えを生み出し、将来、大人になってからの人間関係に歪んだ判断をもたらすことになります。

　母親は、最も慰めを与え、子供たちを指導する責任がある人です。授乳するのが母親と決まっているように、母親には栄養や慰めを与える能力が本来備わっています。健全な家庭では、母親と新生児の早い時期での繋がりが、絆の時間となり、後の人生で教えを受け取り、与えることのできる能力を養うための道を開くことになります。新生児から子供たちが自立するまでの間、子供を育てる役割が与えられているのは、ほとんどすべての文化において、母親です。

　母親に支配され、間違いを指摘されて育った子供たちは、他者を喜ばせるためには完璧にならなければいけない、という嘘を学ぶことになります。更に、失敗に対する恐れや不健全な自己像を持つことにも繋がります。一方、母親が子供たちの誤りを指摘しない環境で育った子供たちは、自分で自らの

境界線を持つことができるようになります。

　父なる神とイエス、そして聖霊（三位一体）は、神格の3つの側面を表しています。これを父の梯子に適用すると、それぞれの神格が身体と魂と霊それぞれの必要に密接に関係していることがわかります。家族の一人ひとりにそれぞれ違った役割があるように、神格の各メンバーも私たちの必要に対応する個別の役割を担っています。父親と母親は、天の父と聖霊に対する良いイメージ、または悪いイメージを与え得る存在だということを注意しなければいけません。

　家族に対する見方は、私たちが三位一体の神とどのように繋がっているのか、もしくは、繋がっていないのかに大きな影響を与えます。

　ここに、その概念を表した表があります。

表3

父なる神	**身体** アイデンティティー 価値・守り・備え	**父親** 男性の教師、牧師 男性のリーダー、 コーチ、祖父、叔父
イエス	**魂** 交わり コミュニケーション	**兄弟姉妹 友だち**
聖霊	**霊** 快適さ・慰め・教え	**母親** 女性の教師、牧師 女性のリーダー、 コーチ、祖母、叔母

　私たちはSOZOを何度も繰り返している中で、父親からこれらのものを与えられずに育った相談者が、神にあるアイデンティティーの理解に困難を覚えることに気がつきました。自分の価値が理解できなければ、父なる神が自分をどのように見ておられるかを知ることは難しいでしょう。

　父親から十分に守られ、備えがなかった子供たちは、不足への恐れを持つ傾向にあります。その恐れから、多くの人は天の父に対しても見捨てられた

思いや距離を感じるようになります。そのような思考にあると、神は守り、備えられるお方であるという真理を、偏見の眼鏡を通して歪めて見ることになります。

聖書には、イエスは私たちの仲間であり、友であると書かれています。兄弟や友人との関係は、イエスとの関わりをどう捉えるかに反映します。例えば、兄や姉が弟や妹を養わなければならなかった場合、イエスは兄や姉に過剰な責任を負わせようとしていると信じるかもしれません。または、自分ではやりたくないと感じているミニストリーや仕事をしなければいけない、という恐れを持つかもしれません。もしくは、イエスは、自分には到底実行不可能な使命を与える方だと感じる場合もあるでしょう。

弟や妹にとっては、兄や姉は自分を支配する人に思えるかもしれません。このように信じている人は、イエスも私を支配しようとしているし、最善を尽くしているのではなく、自分自身や他人のために事態を改善しようとしているだけ、という嘘を作り上げるかもしれません。

友情は、自分の価値が低く感じる場所にも成り得ます。本来、友人とは理解し、受け入れられる存在です。しかし、理解されず、受け入れられないと、イエスでさえも自分を受け入れてくれないと信じる傾向がみられます。「イエスが私を愛していることは知っています。でも、本当に私のことを好きかどうかはわかりません。」クリスチャンがこう言うのを何度となく聞いたことがあるのではないでしょうか。このような考え方をしていると、イエスの御腕の中に抱かれて憩うのとは反対に、認められるために永遠に努力し続けることになるでしょう。

これらの領域の癒しのためには、イエスとの会話からSOZOセッションを始めることにしています。イエスに無条件に受け入れられ、イエスと対話をし、友情を育むという真理を体験する時、相談者は自由を得ることができます。

幼少の頃に物理的または精神的母親不在の中で成長した子供たちは、自分の必要が満たされることについての確信を持つことが難しいことを、私たちは見て来ました。このような感情は、そのまま聖霊に対する理解に移行しがちです。母親が物理的または精神的に不在な場合には、父親がその責任を満たすことができますし、そうすることは大切なことです。しかし、親の役割

が混同することによって大人になってから、神と聖霊との関係にも影響を及ぼすことになります。

　もし、母親が子供を罪悪感やごまかしによって支配しようとする場合は、聖霊による励ましからも自分を守ろうとし、壁を築くことになります。人や聖霊との間に安全な距離を置くクリスチャンのことを SOZO では、母の傷と呼んでいます。SOZO の導き手はこれらの問題の癒しのために母親を赦し、自分自身を愛し、気に掛けてくださる力強い聖霊と繋がるように励まします。

　SOZO の導き手は、父の梯子を用いて下記のような過程を踏みます。

1. 状況を把握します。
2. 父なる神、イエス、聖霊（それぞれ）をどのように感じ、見ているかを聞きます。
3. 父なる神、イエス、聖霊(それぞれ)について何を信じているかを尋ねます。
4. 相談者が、家族とそれに関わる神格のいずれかと距離を感じている場合、その対象となる家族を赦すように導きます。1. で得た情報を参考にします。
5. 宣言して捨てる：相談者が神、イエス、聖霊に対して信じている嘘を破棄します。
6. 真理を聞く：嘘を破棄した後に、父なる神、イエス、聖霊に真理を尋ねます。相談者が神と交わる時間を取ります。真理を受け取るために様々な祈りが必要な時もあります。

　SOZO の導き手が父の梯子をどのように用いているのかについて、幾つかの例をご紹介します。

　まず、相談者が父なる神に対して距離と冷たさを感じている場合は、その人の父親が物理的、精神的に不在だったことを赦すように導きます。次に、天の父も同じような存在だという嘘を破棄します。それから、父なる神に真理を尋ねます。相談者が神からの答えを自分で聞くことができるよう導きます。

　もし、相談者がイエスは祈りに応えてくださらないと信じている場合は、その人の価値を認めなかった兄弟姉妹、もしくは友人を赦すように導きます。その後、イエスも同じように自分の価値を認めてくれないという嘘を手放します。そして、イエスに真理は何かを尋ねます。父なる神に聞く時と同様、

相談者が神からの語りかけを聞くのを待ちます。

　もし、相談者が聖霊の臨在を感じられない時には、不在だった母親を赦すよう導き、次に、聖霊は遠くにおられる方であるという嘘を破棄します。最後に、聖霊が語られる言葉を聞くように導きます。

　（注：赦しは家族から始まり、父の梯子表3に示されている他の人々へと進めることが重要です）

　父の梯子を使ったプロセスをより深く理解していただけるように、実例（天の父、イエス、聖霊いずれにも用いることができる）をご紹介します。

ナンシーのケース

　SOZOの導き手であるジェニーは、最近クリスチャンになったナンシーに向き合う形で座っています。ナンシーは、神との関係を邪魔しているものが何なのかを知りたくて、SOZOセッションに申し込みました。彼女はいかなる障害も取り除く準備をし、ジェニーに向かい合って座っています。

　セッションを始めるにあたって、ジェニーはナンシーに「父なる神のことをどのように見ていますか？」と尋ねました。彼女は、「それはどういう意味ですか？」と聞き返します。ジェニーは、「父なる神をどう感じていますか？」と言い直しました。

　映像を受け取ったナンシーはこう答えました。「神が私を愛しておられることはわかっています。神にとっては当たり前のことではないですか？　でも、私が神と交わろうとするたびに、距離を感じています。私は何か間違っているのでしょうか？」

　そこに彼女の信じている嘘があることを感じたジェニーは、後に続いて祈るように導きました。「私に安心を与えてくれなかった父親を赦します。私は、彼がよそよそしかったことと、私は大切な存在だと言ってくれなかったことを赦します。特に、私が何か悪いことをした時に、そう言ってくれなかったことを赦します」

　彼女はジェニーの祈りを繰り返しました。ジェニーは父親との関係から、他にも赦す必要のある人がいれば彼女が自分で付け加えて祈るようにと導きました。彼女の祈りが終わると、ジェニーはこう続けました。

　「私の後に繰り返して言ってください。『父なる神は遠くにおられる方だという嘘を破棄します。私は、父なる神にとって話す価値のない者だという嘘

を捨てます』」

　彼女は祈りを繰り返しました。ジェニーは時間をかけてその祈りを処理していきました。準備ができたと感じると、続けてこう祈りました。

「天のお父さん、真理とは何ですか？」

　ジェニーは、ナンシーが真理を聞いたり感じたりするための時間を取りました。彼女は頷きながら、天のお父さんが見せてくださった楽しい絵の説明を始めました。他のSOZOセッションと同じく、神はユニークで彼女の必要に合う特製の答えを用意してくださいました。

　（注：SOZOの導き手は必ず、相談者が真理を受け取った後にそれを信じるかどうかの確認をします。相談者がそれを信じる時に癒しが起こります。反対に、真理を受け取れない、またはそれを信じることができない時には、まだ見つかっていない嘘があるということです）

　ナンシーは、この短いセッションで神から真理を受け取り、それを日常生活に適応することができました。しかし、真理を受け取れない、または受け取っても信じられない相談者もいます。それはただ単に、まだ他にも握っている嘘があるということです。そのような場合は、父の梯子を続けて用いるか、または、これからお伝えする他の方法を用いて解決していくことができます。

グループで話し合う質問

父なる神

1. その真理を霊で受け止めてください。そして、その真理を表している聖句は何かを神に尋ねてください。

2. 神があなたのことをどう思われているのかを、神に尋ねてください。

イエス・キリスト

1. イエスのことをどのように考え、感じ、見ていますか？

2. イエスに関して信じている嘘がないかを、イエスに尋ねてください。

3. 嘘がある場合は、どこでその嘘を学んだのかをイエスに聞いてください。

4. その嘘を真理として教えた全ての人を赦してください。

5. その嘘に代わって、教えたいと願われている真理が何かを、イエスに尋ねてください。

6. その真理を霊で受け止めてください。そして、その真理を表している聖句は何かを、イエスに尋ねてください。
7. イエスがあなたをどう思われているのかを、イエスに尋ねてください。

聖霊

1. 聖霊のことをどのように考え、感じ、見ていますか？
2. 聖霊に関して信じている嘘がないかを、聖霊に尋ねてください。
3. 嘘がある場合は、どこでその嘘を学んだのかを聖霊に聞いてください。
4. その嘘を真理として教えた人を赦してください。（あなたに対して権威ある立場の女性かもしれません）
5. その嘘に代わって、教えたいと願われている真理が何かを、聖霊に尋ねてください。
6. その真理を霊で受け止めてください。そして、その真理を表している聖句は何かを、聖霊に尋ねてください。
7. 聖霊があなたのことをどう思われているのかを、聖霊に尋ねてください。

参考文献

ダナ・デシルバ　＆ テレサ・リブシャー（De Silva, Dawna and Teresa Liebscher）『Sozo Basic（SOZO、基礎編）』（未邦訳）

第 6 章

教師、慰め主としての聖霊

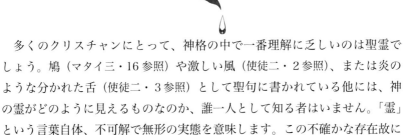

　多くのクリスチャンにとって、神格の中で一番理解に乏しいのは聖霊でしょう。鳩（マタイ三・16参照）や激しい風（使徒二・2参照）、または炎のような分かれた舌（使徒二・3参照）として聖句に書かれている他には、神の霊がどのように見えるものなのか、誰一人として知る者はいません。「霊」という言葉自体、不可解で無形の実態を意味します。この不確かな存在故に父なる神やイエスと比較すると、聖霊への理解がぼやけたものとなっているのかもしれません。

　聖書には教師、励まし主、養育者、そして助け主として説明されています。明確に書かれているか、抽象的に表されているかに関わらず、聖霊の働きは変わりません。弱っている時、力を与えてくださる方であり、悲しむ時の慰め主です。

　SOZO では、聖霊は慰め、**教え、育て**てくださる方だと教えています。

　しかし、助け主、すなわち、父がわたしの名によってお遣わしになる聖霊は、あなたがたにすべてのことを教え、また、わたしがあなたがたに話したすべてのことを思い起こさせてくださいます。（ヨハネ一四・26）

聖霊は私たちの成長を助けてくださいます。

　御霊も同じようにして、弱い私たちを助けてくださいます。私たちは、どのように祈ったらよいかわからないのですが、御霊ご自身が、言いようもない深いうめきによって、私たちのためにとりなしてくださいます。（ローマ八・26）

聖霊は、教師と慰め主、両方の立場で私たちの人生に関わってくださっています。教師として聖霊を見る時に、私たちは聖霊の導きに従うことができます。慰め主として見る時には、自分の痛みをこの世のもので自ら癒す代わりに、聖霊のところへ持って行くことができます。

　父の梯子の表で見たように、聖霊は、私たちの母親や成長期にお世話をしてくれた女性との関係を反映します。家族の中では、ほとんどの場合、母親が育て、教え、慰める働きを担っているためです。例えば、子供が怪我をした場合、慰めを求めて真っ先に走って行くのは母親です。「どうして？　どうして？」と、2歳の子供が一番質問するのも母親です。

　ただ、これは厳格に分けられた規則のようなものではありません。母親も子どもたちを守り、必要を与え、またアイデンティティーを与える存在でもあります。同様に、父親も慰め、教え、導きます。兄や姉が弟や妹のお世話をすることもあるでしょう。家族の誰もが、子供たちの健康と健全な成長に関わっているのです。子供時代に母親から教えられたり、慰められることがなかったり、または必要な世話をして貰えなかった人は、通常、癒される必要のある傷を追っていることに、私たちは気づきました。そして、その傷が聖霊との関係に影響を与えています。私たちが力強く生きるには、母親との関係から受けてしまったそれらの傷が癒され、聖霊との強固な繋がりを築く必要があります。

　例えば、母親からあまり慰められることなく育った子供たちは、心に不安を抱える傾向にあります。彼らは慰められ、守られる体験が乏しかったために、守られているという安心感を持ちにくいのです。何かに挑戦し失敗しても、誰も慰めてくれないという経験から学んでいるからです。このような問題を抱えている人は、自分を閉ざしがちで、リスクのある問題に挑戦するのを避ける傾向にあります。

　子供との関係を築かない、虐待する、もしくは操ろうとする母親から生じた傷を癒すために、SOZOの導き手は、アイデンティティーを認識させ、嘘を破棄させ、そして置き換える作業に相談者を導くことが必要です。まず信じている嘘を見つけ、それとの繋がりを断ち、神の真理を受け止めます。そうして初めて、聖霊との正しい関係を持つことができるようになるのです。

　ロブはこれらのプロセスを、SOZOセッションの中で体験しました。

ロブのケース

　神の臨在をもっと知りたい、そう願ってセッションにやって来たロブでしたが、しばらくの間、躊躇っていました。彼は聖霊との強い繋がりを持っていませんでした。もうお気付きのように、彼は母親との関係が気薄でした。母親は滅多に身体的な接触をせず、彼のことを拒絶しました。不幸なことに、彼のラブ・ランゲージ（最も愛情を感じる方法）は身体的な触れ合いでした。これでは母親との関係が上手く行くはずがありません。彼にとって、身体の触れ合いなくして母親の愛情を認識することは不可能だったのです。

　SOZO の導き手は、身体的に触れ合うことにより安心感を与えることをしてこなかった母親を赦すよう、彼を導きました。彼は導き手の祈りを繰り返しました。彼の様子に大きな変化は見受けられませんでしたが、心の奥深くで何かが起こっていることを導き手は感じていました。30 秒ほど経ってから、彼は導き手を見つめ、母親との断絶は自分のせいだと思っていたと打ち明けました。導き手はもう一度その嘘を破棄する祈りをし、聖霊が何と言われるかを聞くようにと促しました。

　ロブは導き手の祈りを繰り返しました。「母との関係が悪いのは、全部自分の責任だという嘘を、今、破棄します。聖霊様も母と同じで、いつも私の近くにいても、自分とは身体的に何の繋がりも持てない、という嘘を捨てます。聖霊様、真理を教えてください」

　ロブが答えを受け取るのを待って、導き手が質問します。「何か、聞いたり、見たり、感じたりしましたか？」

　驚いたことに、母親がロブにとった態度を聖霊が代わって謝ってくれたと、彼は答えました。更に、聖霊は、身体的に臨在を受け取る許可を既に得ていることを知ってほしいと言われたのです。好奇心が刺激された彼が「はい」と答えたその瞬間、神が臨まれ、彼は笑い出しました。彼が聖霊の膝に座ってもいいかと尋ねると、聖霊は「もちろん」と答えられました。

　ロブの笑いは更に大きくなりました。導き手は聖霊がロブをくすぐっておられるのかもしれないと感じていました。聖霊の働きが終わるのを待って、導き手はどんな感じだったのかを、彼に尋ねました。素晴らしい感覚だったと彼は答えました。聖霊は彼をくすぐりながら、彼はもはや失われ、壊れ、拒絶された存在ではないという神の真理を教えていたのです。彼は、永遠の

慰め主、教師であり、養育係である聖霊と繋がっているのです。その後、導き手は聖霊が言われたことを信じるかと尋ねました。彼は間髪を入れずに、「はい」と答えました。

　この短い神との出会いで、ロブは聖霊との関係を築き始めました。疑いや恐れ、不安といった彼の人生の一部となっていた領域が、神の愛なる霊の存在によって取り扱われ始めました。彼が祝福を受け取るために何を知る必要があったのかを、聖霊は正確にご存知でした。ラブ・ランゲージが子供の頃に満たされなかったため、彼は母親の愛情を体験できずにいました。母親は彼を愛していたのかもしれませんが、彼女の愛情表現と彼が求めるものとが上手く噛み合っていなかったのです。

　ロブは聖霊に抱きしめられ、安心や自尊心に対する理解を深めることができました。この神との出会いで問題が全て解決される訳ではありませんが、神の無限なる知恵は、彼の必要が何かをはっきりとご存知でした。これこそ、SOZOセッションがユニークな理由です。一人ひとりに合わせているのです。1人として、同じ癒しの歩みはありません。

ルーカスのケース

　別の相談者、ルーカスは、聖霊との繋がりが持てないことが原因で、教会との関係にも不安を感じていました。平安の中、主と交わる場所であるはずの教会が、彼にとっては常に恐れと不安を体験する場となっていました。彼は両親や親しい牧師たちがステージの上からミニストリーするところを、インナーヒーリング（内なる癒し）とデリバランス（解放）の導き手の息子として、ずっと見てきました。16歳になって初めて、祈り手として仕えるための訓練を終えた彼は、礼拝後の祈りの奉仕を頼まれました。その日、初めて病気の人に手を置いて祈り、回復するところを見るはずでした。少なくとも、彼はそう考えていました。

　問題はただ1つ、ルーカスが聖霊との親しい関係を持っていなかったことでした。彼は教会で育ち、多くの奇蹟を見、神の不思議を聞いていました。教会を初めて訪れる人たちに、教会内外でどのような奇蹟が起こったかを証することもできました。ただ、それらの奇蹟のうち、1つとして彼の手を通して起こったものはありませんでしたし、聖霊の声を聞く訓練さえ受けたことがありませんでした。

　牧師がメッセージを終え、祈り手にステージまで出てくるように呼びかけると、ルーカスは両親と他の祈り手たちと一緒に前に出ました。すると急に、牧師が彼にマイクを手渡し、知識の言葉が与えられたかどうかを聞いてきました。その途端、ルーカスは固まってしまいました。彼は神からのサイン——天使や鳩、または炎のように分かれた舌 —— などが見えないか、会衆を眺めました。数秒が経ち、彼はマイクを牧師に返しました。そして、そのまま真っ直ぐトイレに向かって歩いて行ってしまいました。

　トイレから戻ったルーカスは祈り手の列に戻りました。1人の人が祈ってもらおうと、彼の前に来た時、ルーカスは内にある疑問と戦っていました。(人のために祈るなんて自分にはふさわしいのだろうか？　本当に奇蹟を必要としているような人が来なければいい) などと考えながら、自分の前に立つ人に祈りの課題を尋ねました。その男性は答えました。「ステージ4の癌なんです」

　ルーカスは赤面しました。そして天を見上げ、今すぐ天に引き上げてほしいと神に祈りつつ、その人のために祈り始めました。その男性は平安に包まれ、満足した様子で去りましたが、癌には何の変化も見られませんでした。ルーカスは、神が祈った通りに現れて下さらなかったことにがっかりし、また落ち込んでしまいました。

　このようなことは、私たちが聖霊との親しい関係を持っていない時に起こります。もし、私たちが「慰め主」との関係を深めていなければ、どのように他の人を慰めることができるでしょうか。もし、真の「カウンセラー」との出会いがなければ、自信を持ってカウンセリングすることができるでしょうか。ルーカスは祈ってすぐに癒しが起こらなかったことで自分を責めました。自分を嘲笑う思いや罪責感、自信喪失に苛まれた彼は、SOZOの予約を取りました。嘘によって平安が奪われていました。彼はまさに解放されようとしていましたが、そのことを知るよしもありませんでした。

　セッションが始まると、ルーカスはここに来るきっかけとなった出来事について話し始めました。

　SOZOの導き手は、彼の話が終わるのを待って簡単な質問をしました。「聖霊様をお招きして、その時のことをどう思われているか、聞いてみませんか？」

　彼は頷きました。

「では、目を閉じてください。そして、私の後について祈ってください。『聖霊様、あなたについて信じている嘘があったら、それが何かを教えてください。』」

　ルーカスは導き手の祈りを繰り返しました。導き手は、彼が聖霊の応答を待つ時間を取ってから尋ねました。

「何か、聞いたり、見たり、感じたりしましたか？」

「いいえ、聖霊について間違ったことを信じているのかどうかさえ、わかりません」

「わかりました。では、私に続いて祈ってください。『聖霊様、私が自分について信じている嘘がありますか？』」

　彼は座り直しました。

「聖霊は、『神に用いられるに値しないという嘘を信じている』と言われました。それと、『私が挑戦しても、聖霊が来て助けてくださるはずがないという嘘も』」

「その嘘をどこで信じたのか、聖霊に聞いてみてください。」

　ルーカスは静かに祈りました。そして、顔を上げて答えました。

「母親からです」

「では、私が祈ることを繰り返してください。『私は、失敗した時に挑戦したことを認めてくれなかったこと、ベストを尽くしたなら失敗してもいいということを教えてくれなかった母を赦します。私は、聖霊様が失望し、私が信仰を持って一歩踏み出す時に、私を用いられることはないという嘘を破棄します。聖霊様、真理を教えてください』」

　ルーカスは導き手の祈りを繰り返しました。

「何か、聞いたり、見たり、感じたりしましたか？」

　彼は目を開いて、「聖霊様が笑いながら、私が信じている嘘を振り払っています。聖霊様は、私が挑戦しようとジャンプする時のために用意してあるトランポリンを見せてくれました。聖霊様が言うには、教会で私が助けを求めて会衆を見ていた時、聖霊様はそこにおられ、言葉を与えてくださったそうです。でも、私があまりに慌てていたので、それを受け取ることができなかったと言われました。私がそのことに気付かなかっただけだなんて、信じられません」

「では、私の後に繰り返して言ってください。『聖霊様、私が男性に祈ろうと

した時に、その人への言葉を教えてくださっていたことを感謝します。どうぞ、あなたの声を聞く耳とあなたを見る目を訓練してください。あなたの声を聞き取れなかった私に、あなたが失望したという嘘を捨てます。あなたが次のチャンスをくださること、私のことを用いるのに値しないとは思っておられないことに感謝します。聖霊様、あなたと共にこれからも危険を恐れず挑戦することができるよう、私に勇気をください。また、祈った男性に変化が見られなかったことと、あなたが私を通して働かれることにはなんの関係もないことを私に教えてくださったことに感謝します。聖霊様、私に知ってほしいと願っておられる真理は何ですか？』」

　ルーカスは祈りを繰り返しました。そして、耳を傾けて聞きました。
「何と言われていますか？」

　彼は笑顔を見せて、「僕の冒険が待ちきれないそうです。早速、始めないと」
「それを聞いてどんな気持ちですか？」
「力が漲ってきた感じがします」
「では、私に続いて祈ってください。『聖霊様、私が思い切って一歩踏み出せるよう祝福してくださり有難うございます。私は、恐れと不安に縛られているという嘘を捨てます。祝福と真理、油注ぎの力を受け取ります。そして、イエスの御名により、人のために祈ることを自分自身に許可します。恐れと完璧主義、そして行ないを重要視する価値観を受け入れてきたことを悔い改めます。これらの嘘を信じることで許してきた悪霊との全ての繋がりを、今、イエス様、あなたにお渡しします。恐れ、自信喪失、行ない重視、完璧主義、そして羞恥心よ、イエス・キリストの御名によって命じる。私から出ていけ』」

　祈り終わったルーカスの顔は、輝いていました。
「どんな気分ですか？」
「最高です。なんだか自分は失敗しないように感じています」
「もし、伝えるための言葉がないと感じた時は、どうしようと思いますか？」
「リラックスして聖霊を待ちます」
「それでも何も聞いたり、受け取ったりしなかったら？」
「それでも待ちます」
「私の祈りを繰り返してください。『聖霊様、必要な時にあなたの言葉や導きを受け取れない時には、どうしたらいいですか？』」

　ルーカスが続けて祈りを繰り返しました。

「何か聞いたり、見たり、感じたりしましたか？」

「必ず答えると、聖霊様が言われました。私はただ、もう少し聖霊様を信頼することと声を聞くことの両方の訓練が必要だと思いました」

「それを聞いて、どんな気持ちになりましたか？」

「素晴らしい気分です」

　ルーカスは目を開いて、SOZO の導き手と握手をしました。

「ありがとうございました」

「どういたしまして」

　ルーカスは聖霊との関係に打ち破りを得ることができました。癒しが起こらなかったことで、自分を裁いていた彼は、罪責感と自責の念により疲れ果てていました。その結果、聖霊への信頼が急速に失われ、他の人のために祈る時に、自分が不十分であることへの恐れが増したのです。

　聖霊に満たされた多くのクリスチャンが、神の臨在を知らないのは悲劇です。カリフォルニア州レディング市にあるベテル教会の主任牧師ビル・ジョンソン師から、過去 20 年に渡り、主の臨在をもてなすことを学んできたことは、本当に光栄なことでした。主の臨在をもてなすことに関して詳しく学びたい方は、ビル・ジョンソン師の著書「神の臨在をもてなす」（マルコーシュ・パブリケーション）と「Face to Face with God」（Charisma House 未邦訳）を読まれることをお薦めします。私たちは、「主の臨在をもてなす」ことができないでいることが、今の教会における最も大きな問題の 1 つであることに気がつきました。SOZO は、人と神とを隔てているあらゆる問題を癒し、神への理解と真理を歪めている嘘を取り除きます。私たちが聖霊との関係を持てないのなら、周りの世界に影響を与える私たちの能力が弱まるのです。

ターシャのケース

　ターシャという別の相談者の例を紹介しましょう。彼女は、天の父と親しくなれないという問題を抱えて SOZO セッションへやって来ました。SOZO の導き手は彼女の話を慎重に聞き、セッションを進めていくにつれ、彼女が天の父と既に素晴らしい関係を持っていることがわかりました。これには、彼女自身も驚いていました。そこで SOZO の導き手は、聖霊との関係を試すことができるかどうか尋ねました。

　ターシャは驚きの表情を見せ、椅子に深く座り直しました。導き手は、聖

霊との関係について話した時、どんな感じがしたのか尋ねました。彼女は聖霊との関係に確信が持てないので、まずは父なる神との問題を解決することにしたと述べました。

　それでもなお、導き手は聖霊との問題を取り扱うことを勧め、最終的に、ターシャは同意しました。そこで導き手は、安全を与えることができなかった母親を赦す祈りに導きました。彼女はその祈りを繰り返し、今までネガティブな言葉を言ってきた母親を赦しました。最後にようやく、「聖霊も母親がしたのと同じように彼女のことを嘲笑っている」という嘘を捨てることができました。赦しの祈りを終えたターシャは、目を開け、泣き出しました。聖霊にいつも嘲笑われているように感じてきたことに、今、初めて気がついたのです。

　導き手は、悔い改めて、聖霊が何と語られるのかを知りたくないかと、ターシャに尋ねました。緊張した様子で、彼女は椅子に座り直してから、やってみると答えました。導き手は祈りを通して彼女を導き、聖霊に介入して真理を明らかにしてくださるよう求めました。少し間を置いてから、導き手は聖霊が何と語られたかをターシャに聞くと、彼女は顔を赤らめて、聖霊は母親とは違うと語られたことを話してくれました。導き手が、聖霊が言われたことを信じているかどうかを尋ねると、彼女はショックを受けた様子でした。ターシャは自分が思っていた聖霊と、今、語って下さった聖霊と、全く違っていたことが信じられなかったのです。続いて、導き手は彼女の信じていた嘘をいくつか取り扱いました。その後で聖霊は、ターシャがいつも母親に言って欲しかった励ましの言葉、真理を語られました。彼女はそれを聞いて、再び泣き出してしまいました。彼女が耳を澄ましていると、聖霊が近づいてきて、彼女を抱き抱えてもいいかと尋ねました。興奮して、「彼女はもちろんです」と答えました。

　ターシャがやっと目を開けた時、その顔には笑顔が浮かんでいました。彼女は、自分の問題に関係していたのが、天の父ではなく聖霊だったことに気づいていなかったと話してくれました。聖霊との初めての関係によって、彼女は慰めを得ることができました。

　ターシャの例は、聖霊と繋がることの影響力がいかに大きいかを教えてくれます。父なる神との関係が問題だと思っていましたが、最終的には聖霊との新しい関係に導かれたのです。このようなことは、SOZOではよく起こ

ります。神格それぞれとの確固たる関係を築けなければ、安心感の中で憩うことが制限されてしまいます。私たちは、神ご自身との関わりを持ち、慣れ親しんだ領域を超えていくことができるよう、各神格との強固な関係を築く必要があります。

グループで話し合う質問

1. 生活の中で、聖霊をどのように見、聞き、感じていますか？
2. 人生で、聖霊との関係によって明らかにされる実りある領域はどこですか。
3. 成長過程における母親との関係はどのようなものでしたか？
4. 母親を赦す必要がありますか？
5. 母親か同様の立場の人に対して、あなたが持っている怒りや苦味、嫌悪感を手放す必要はありますか？

課題

1. 聖霊を臨在とともに、迎えてください。
2. 聖霊が慰め主、カウンセラーであることに感謝を捧げてください。
3. 聖霊ご自身のことであなたが信じている嘘がないか、聖霊に聞いてください。そして、答えをいただくまで待ってください。
4. 明らかにしてくださった嘘があったら、その嘘を信じてきたことを悔い改めてください。
5. 必要があれば、聖霊に対する間違った解釈を教えた母親や教えた人を赦してください。
6. 信じていた嘘に代わる真理を明らかにしてくださるよう、聖霊に聞いてください。
7. それらの嘘を信じていたために結んでしまった悪霊との繋がりがあれば、断ち切ってください。
8. 明け渡された場所を聖霊の臨在で満たしてくださるように祈ってください。

参考文献

ゲーリー・チャップマン (Gary Chapman)『愛を伝える五つの方法』(いのちのことば社)

ビル・ジョンソン (Bill Johnson)『神の臨在をもてなす』(マルコーシュ・パブリケーション)

ビル・ジョンソン (Bill Johnson)『Face to Face with God: The Ultimate Quest to Experience His Presence（神と向き合う：臨在を体験するための最高の旅路）』(Charisma House、未邦訳)

ダニー・シルク (Danny Silk)『Loving Our Kids on Purpose: Making a Heart-to-Heart Connection（目的を持って子どもを愛する：心からのつながりを築く）』(Destiny Image、未邦訳)

第7章

嘘の力を無効にする

聖書には、嘘がどこに属するのかが明らかにされています。

あなたがたは、あなたがたの父である悪魔から出た者であって、あなたがたの父の欲望を成し遂げたいと願っているのです。悪魔は初めから人殺しであり、真理に立ってはいません。彼のうちには真理がないからです。彼が偽りを言うときは、自分にふさわしい話し方をしているのです。なぜなら彼は偽り者であり、また偽りの父であるからです。(ヨハネ八・44)

　全ての嘘の源は悪魔であると聖句に記されています。誰を貪(むさぼ)るかを探してうろついている獅子のような盗人の主な目的は、**「盗んだり、殺したり、滅ぼしたりする」**(ヨハネ一〇・10) ためにほかなりません。

　サタンの目的は、私たちを神の反対方向へと導くことです。豊かな実り、繋がることではなく、引き離し、孤独にさせることです。しかし、平和の君イエスは、その足元にサタンを砕かれました (ローマ一六・20 参照)。そして、私たちが主の真理に生きるために悪魔の計画を破棄し、私たちに与えられていた権威を回復してくださったのです。

　聖書には、悪魔はすでに敗北したと明確に記されています。聖書全体を通して、神の主権は「この世の力」を支配していると示されています。エゼキエル書には、神の主権は堕天使ルシファーを支配していることが書かれています。

　あなたのこころは自分の美しさに高ぶり、その輝きのために自分の知恵

**を腐らせた。そこで、わたしはあなたを地に投げ出し、王たちの前で見
せ物とした。国々の民のうちであなたを知る者はみな、あなたのことで
おののいた。あなたは恐怖となり、とこしえになくなってしまう。（エゼ
キエル二八・17、19）**

　ルシファーが力あるものとして書かれている聖句はどこにもありません。
天から落とされたサタンは、無にされた者としての一瞥（いちべつ）を受けるために、見
せ物とされたと書かれています。聖書には、サタンがこの世を支配する権威
を持つと一度として書かれていません。罪の結果として力を失い、恐ろしい
結末を迎える例として用いられているのです。
　聖書に一貫して描かれているテーマは、勝利は神にあるという真理です。
ヨハネの黙示録には、サタンとそれに従う者が火の海に投げ込まれる様子が
描かれています（黙示録二〇・14 参照）。サタンは滅ぼされることが決まっ
ているのです。その彼にできる唯一の望みは、人を騙すことです。それが神
の心を痛めることを知っているからです。サタンは王に触れることができな
いので、息子や娘たちを攻撃するのです。
　サタンはすでに敗北しているのですが、人間がサタンの誘惑に抗（あらが）わない時
にその影響力が開花します。エデンの園でアダムとエバが罪を受け入れた時、
サタンに力を与えてしまいました。その結果、2人は支配する権威を失い、
園を追い出されたのです。
　SOZOでは、神は私たち一人ひとりに使命を与えられていると考えます。
その使命を行なうことは、私たちの義務です。アダムとエバ同様、神は私た
ちに「産めよ、増えよ、地を満たし、支配せよ」と命じられています。神か
ら与えられた役割を果たすために、私たちはそれぞれ独自の特徴や賜物、召
しを持って生まれ、神の王国を拡大するのです。
　イエスは十字架によって全ての権威をサタンから奪い返してくださいま
した。それによって、私たちが使命に生きることを可能にしてくださったの
です。イエスは天に昇られる時、弟子たちに命じられました。

　**イエスは近づいて来て、彼らにこう言われた。「わたしには天においても、
　地においても、いっさいの権威が与えられています。それゆえ、あなた
　がたは行って、あらゆる国の人々を弟子としなさい。そして、父、子、**

聖霊の御名によってバプテスマを授け、また、わたしがあなたがたに命じておいたすべてのことを守るように、彼らを教えなさい。見よ。わたしは、世の終わりまで、いつも、あなたがたとともにいます。」（マタイ二八・18~20）

イエスは全ての仕事を成し遂げられ、弟子たちにそれを広めるようにと命じられました。そして今、その仕事は私たちへと引き継がれているのです。

神の右に座しておられるイエスによって、私たちはもう罪の奴隷ではありません。私たちがこの真理を本当に理解する時、サタンは私たちに対して何の影響も及ぼすことができないのです。私たちが彼に足掛かりを与えない限りは。

興味深いことに、サタン自身でさえ、自分には力がないことを知っています。人々を自分に従わせるために、光の御使いの姿にさえなろうとします。自分の計画をあたかも美しく魅力的な真理であるかのように巧妙に見せかけ、真の目的は隠しています。そうでもしなければ、健全な信仰者は誰一人として彼に従わないからです。

パウロはコリント人への手紙の中で、このような敵の戦略に警告をしています。

こういう者たちは、にせ使徒であり、人を欺く働き人であって、キリストの使徒に変装しているのです。しかし、驚くには及びません。サタンさえ光の御使いに変装するのです。（Ⅱコリント十一・13、14）

ここでパウロは、悪魔がよく用いる策略を指摘しています。それは、欺くことによって、無害に見せるという策略です。この敵が隠れている嘘の覆いを取りのけて初めて、本来の危険な姿を見つけることができます。そのため、パウロは、誰が神の側で、誰がそうでないのかを見分ける力を鍛えるようにと私たちを励ましています。

しかし、堅い食物はおとなの物であって、経験によって良い物と悪い物とを見分ける感覚を訓練された人たちの物です。（ヘブル五・14）

ここでパウロは、成熟するには洞察力を得ることが必要だと主張しています。神から来たものか、そうでないかを見分ける力を鍛えることで、敵の声を聞き分け、その策略を打ち砕くことが可能になります。そこでようやく、私たちは神のものだけに目を止めることができるのです。

　見分ける力を用いるとは、聖霊と同じ目線で物事を見るということです。聖霊の目線は、「**たましいと霊、関節と骨髄の分かれ目さえも刺し通し**」（ヘブル四・12）、真実を全て明らかにするものです。見分ける力の教師として、聖霊はどのような嘘も明らかにされるのです。

　長年の経験から、私たちは敵が人々を騙すためにいかに多くの嘘を用いているかを知っています。それらの嘘は大まかに分けると、**偽の真理、色眼鏡、狡猾な提案**、の３つのグループに分けられます。

　偽の真理：一見正しく見えますが、不信仰に根ざすもので、私たちの信仰の土台に入り込み、健全な生活を脅かすものとなります。このような嘘が入り込むと、力強いクリスチャンでさえその影響力の犠牲となり得ます。また、教会内にも、義や聖なるもの、または信仰という姿に化けて入り込んでいます。

　偽の真理を理解するには、「Prosperous Soul（繁栄する魂）ミニストリー」を運営するスティーブン・デシルバの言葉が役立つでしょう。彼は若かりし頃の大半を、彼が**貧困の霊**と呼ぶ精神状態で過ごしていたと告白しています。彼はこの霊を考え方として認識し、知らない内にこのような考え方になってしまっている信者は、謙遜で正義感に満ち、信心深いように見えると言っています。そのために、自分たちが嘘の力のもとで行動しているという真実をどうしても認めることが出来ず、無視します。

　貧困の霊を持っている人の特徴として、１つの例をご紹介しましょう。

マークのケース

　クリスチャンになったばかりのマークは、「清貧」に生きるために全ての持ち物を売り払うことを決心しました。彼は、地元のスープキッチン（ホームレスの人たちのための炊き出し）で週に一度はボランティアをしていました。傲慢に見られないようにとオシャレなファッションもやめ、シンプルな着古した服を着るようになりました。まもなく、彼はそのような生活を後悔し、自分を責め始めました。そして、美味しいものを食べていた日々や以前の生

活を懐かしく感じるようになりました。

　半年が過ぎた頃、マークは自分の人生についてもう一度考え始めました。そして、大学に入り直し、医学の学位を取り、しっかりとした経済基盤を築きました。今や、経済的な安定を手に入れ、必要のある人々に寄付をすることが可能になりました。今度は、他人にも手を差し伸べ、自分のことも大切にするようになったのです。

　マークの例は極端ですが、あり得る話です。貧困の霊が「義」の仮面を被り、生きているのです。彼はこの惑わしにより、自分は神が望んでおられる生き方をしているとは思えずにいました。完璧になるには、経済的な成功を得てはいけないと信じていたのです。これは一見立派に見えるかもしれませんが、経済に関する偽の真理、「お金＝不敬虔」は悪霊の影響を受けており、医者としての使命から彼を遠ざける結果となっていました。

　これが結婚やミニストリー、または人生が崩壊する理由です。一見無害に見える嘘は、真理という仮面を被り、人の考えの中に入り込み、居場所を作っているのです。もし個人が慎重に考えず、他者と責任を負いあう関係を持っていなければ、サタンの影響下に置かれてしまう可能性があります。

　もしあなたが偽の真理を握っていても、おそらく、それが存在することすら分からないことでしょう。ほとんどの嘘は、潜在意識の領域にあるからです。嘘が存在していることを見つけるには、神や聖書を通してか、または信頼する人に教えてもらう以外にありません。偽の真理についてよく理解していただくために、SOZO を通して見つけた偽の真理をいくつか紹介します。

・貧困の霊　聖書は、貧しい者は幸いだと教えているので（実際の意味は霊的に貧しいもの）、神は私がお金持ちになることを望んでおられません。ですから、私は経済的な成功を求めません。

・低い自尊心　私は、神のために何か素晴らしい働きをする時だけ、価値ある存在です。神のために何もしていない私に価値はありません。

・自己嫌悪　以前、私はポルノ中毒だったため、これからも１人の女性に忠誠を誓うことなどできないでしょう。ですから、結婚しないほうが良いのです。

・間違った信仰　主が戻って来られる日が近いので、大学に行ったり、昇進の道を追い求める必要はありません。ただ、終末の備えをしなければなりま

せん。

　これらの嘘は一見正しく聞こえますが、個人を責めるもので、結果、人を神ご自身とその召しから引き離すことになります。しかし、ここに真理と嘘を見分ける簡単な方法があります。こう質問してみてください。
「その思いはあなたをキリストへ近づけるものですか？」
「あなたを人生における召しへと駆り立てますか？」

　もし、答えが「いいえ」なら、その考えはあなたを神から引き離したいと願っているものから来ています。嘘はいつも私たちを神から遠ざけます。その反対に、真理は悔い改めと繋がりをもたらします。私たちが神の思いと一致する時、サタンの欺きを簡単に見つけられるようになります。アンドレアとリタのセッションを紹介しましょう。

アンドレアのケース

　ベテランのSOZOの導き手であるリタは、アンドレアに椅子に座るよう促しました。「今日は、どのような理由でSOZOを受けに来られたのですか？」

　彼女は居心地悪そうに座りながら、こう答えました。「私はただ、神に近づきたいだけです。いつも色々な人が、神の声を聞いたとか、導かれた、などと言うのを聞きますが、私は神の声を聞いたことも見たことも、また感じたこともありません。聖書を読んでいる時でさえ、神は遠くにおられるように感じます」

「目を閉じてください。そして神に、何か信じている嘘がないかを聞いてください。」

　彼女は目を閉じて、頭を振りました。「いいえ、何の嘘もありません。私は、神が私を愛しておられることを知っています。私と神との間に何か問題がある訳ではないんです」

「では、あなた自身について信じている嘘がないかを聞いてください。」

　彼女は一瞬の間をおいてから祈りました。

「いいえ、ないと思います。私は心から神に従っていると思います」

　これは宗教の霊を受け入れている人によく見られる例です。この霊は私たちに、「神は良い方であり、力強い方、私たちは神を愛し神を慕っている」と教えます。しかし、宗教の霊に関わると、不一致へと導かれます。神の声

を聞きたいという願いは、全てが上手く行っているという知識と相反するものです。もし本当に全てのことが上手く行っているなら、なぜSOZOセッションを受けに来る必要があるのでしょうか？　このような矛盾は、偽の真理を明らかにします。この例では、宗教の霊は「全ては上手く行っている」という嘘により、アンドレアと神との断絶を覆い隠していました。

　ここでリタはさらに進んで、天の父と聖霊にも同じ質問をするようにと促しました。もしこの質問への答えが進むべき扉を開くなら、問題を深く探ることができるでしょう。その深みとは、このようなものとなりました。
「私の後に繰り返して祈ってください。『天のお父さん、イエス様、聖霊様、私を愛してくださり感謝します。私はあなたとの距離があるにも関わらず、全ては上手く行っていると思うようにと私を導いてきた教会を赦します。教会のリーダーたちが、あなたと日々親しく過ごすとはどういうものかを教えてくれなかったことを赦します。そして、今の時代において、神は語られないという嘘を破棄します』」

　アンドレアは、祈りを繰り返したところで泣き出しました。「神がとても遠くにおられるように感じます。何年もの間、私は神に従ってきましたが、近く感じたことは一度もありませんでした」
「私の後に続いて言ってください。『イエス様、あなたは私と遠く離れておられる方だという嘘をあなたに渡します。イエス様、私にどのような真理を知って欲しいと願っておられますか？』」

　彼女は祈りを繰り返しました。
「何か、聞いたり、見たり、感じたりしましたか？」
「イエス様は、私と一緒にいると言われました。私には見えなくても。イエス様は私を愛しておられて、私が望む時はいつでも話したいと思っておられます」
「私の祈りを繰り返してください。『イエス様、あなたは私から離れておられる方だという嘘を、今、あなたにお渡しします。あなたが遠くにおられても、私は忍耐を持ってあなたに従うというプライドと嘘を破棄します。私にどのような真理を知って欲しいと願っておられますか？』」

　彼女は祈りを繰り返しました。
「神は何と言われましたか？」
「いつもここにいるよと言われました。そして、私を愛しているとも」

「私の後に繰り返して言ってください。『イエス様、あなたに宗教の霊をお渡ししします。その代わりに、何をくださいますか？』」

　彼女は、またしばらく泣きました。「イエス様の臨在をくださいます」

　この例からわかるように、宗教の霊が教える偽の真理が、神との親しい個人的な交わりから彼女を遠ざけていました。表面的には、彼女は霊的な感じに見えました。しかし、実際のところ、神との親しい関係をどのように持てば良いのかわからずにいたのです。

　もし、あなたが自己嫌悪、清貧、間違った謙遜、宗教の霊のような偽の真理に従っているとしたら、それらとの関係を断ち、神に明け渡してください。何年にもわたって、このような嘘を信じてきたことで、聖書と一致しているように思えるかもしれませんが、聖書にはそのような嘘を教える箇所はどこにもありません。ですから、パウロがこのように教えたのです。**すべてのはかりごとをとりこにしてキリストに服従させ**（Ⅱコリント一〇・5）るようにと。

　偽の真理との関係を破棄するためにこのシンプルな祈りを捧げてください。

『天のお父さん、（ Ⓐ 信じてきた嘘を入れてください ）を信じてきたことをお赦しください。私はこの（　Ⓐ　）を捨て、そこに付随するあらゆる霊的繋がりを破棄します。この（　Ⓐ　）に代えてあなたの真理を置きます。（　Ⓐ　）の霊よ、今イエスの御名によって命じる。私から去りなさい。天のお父さん、この嘘に代わる真理を教えてください』

　祈り終わったら、代わりとなる真理を聞いたり、見たり、感じたりするまで待ってください。神の真理を受け取ったら、真理により、自由を回復してくださったことに感謝し、それを適応できるよう練習してください。

　偽の真理が私たちの防御を掻い潜って教会内に入り込み、苦しめることがある一方で、**色眼鏡**はより広範囲に渡り影響を及ぼします。クリスチャンかそうでないかに関わらず、色眼鏡は私たちの人生に影響を及ぼすものです。第1章で紹介したように、色眼鏡は歪んだ見方を受け入れることで発生します。それは幼少期に作られたもので、大半が間違った見方なのですが、私たちは人生の不条理に対処するためにそれを受け入れています。私たちは親

や愛する人から傷つけられる時、その傷を正当なものとするために現実を作り上げていきます。そうすることで、その痛みを将来まで抱え続けずに済むと考えるのです。

　色眼鏡：他の人との出会いを通じて作り上げた、個人的な「真理」と言えるでしょう。それらは主に無意識に作用します。偽の真理同様に、色眼鏡は神との親しい交わり、御言葉、または他者との触れ合いによって、初めてその存在に気付くことができます。

　私たちが「色眼鏡」と呼ぶものは、真理を歪めて人生や他者、自分自身、さらには神までも見る道具です。人々がかける色眼鏡の種類には、限りがないことを見つけました。1 つだけかけている人もいますが、多くの人はいくつもの色眼鏡をかけており、その 1 つひとつが人や神に対する見方に影響を及ぼしているのです。

　色眼鏡の影響を受けていた人物の例を紹介しましょう。

ダニエルのケース

　ダニエルは、物心ついた時から自分の知能に疑問を抱いてきました。ADHD（注意欠陥多動症）と失読症のため、学校の成績は散々なものでした。今、ダニエルは高校の卒業を間近に控え、大学に行くか、もしくは生涯続けられそうな仕事に就くかの選択を迫られていました。両親は進学を希望していましたが、自分に進学できるほどの能力があるとは信じられませんでした。

　両親は、彼が大学進学を諦めることを拒み、毎日祈り続けました。結果、ダニエルは 4 年生の名門大学を受験し、驚いたことに、合格したのです。

　受験の手続きの間も、ダニエルは決して自分の成績を忘れることはありませんでした。心の中では合格するわけがないと考えていました。「自分はバカで何をやっても無駄」だという色眼鏡から来る低い自尊心に悩まされ続けていました。両親のサポートにより、その問題を乗り越えることができたのは、まさに奇跡でした。

　その後、ダニエルは二番目の成績で大学を卒業し、大学院に進みました。もし、ダニエルが嘘を受け入れ、色眼鏡で見る現実だけを信じ、諦めていたら、これらすべてのことは起こらなかったでしょう。色眼鏡はその人の考え方にも影響を与えるため、眼鏡をかけていることにさえ気がつかないからです。偽の真理同様、聖書を通して語られる神からの励ましや啓示、または信

頼ある人からの指導がなければ、色眼鏡の存在に気がつくことは難しいものです。さらによく理解していただけるように、SOZOセッションから学んできた色眼鏡の影響を受けている考え方の例をいくつか紹介します。

被害者的な考え方
1. どうせ上手く行かない。試すだけ無駄。
2. 他の人は祝福されるが、私はされない。
3. 私の人生はいつも大変だ。

悲しみ・落胆
1. みんなは私をがっかりさせるだけ。
2. 時々、ベッドから起き上がることさえも辛い。
3. 誰も私のことをわかってくれない。

恐れ・自画自賛
1. 神がしてくださらないことを、誰がしてくれる？
2. 私はあまり神に好かれていない。
3. 頑張れば、神にも好かれる。

　これだけを聞くと、このような嘘を信じているなんて馬鹿げていると感じられますが、それらが通常の思考パターンになっているため、それらを思考の嘘だと認識することは滅多にありません。そのような思考パターンが自分の人生に存在するかどうかを知る唯一の方法は、健全な人との関係を通してか、聖書を学び神から教えられるかしかありません。
　このような考え方の根を見つけるために、下記の質問をしてください。
1. この考え方は、イエスの教えに添っているか？
2. この生き方は、私を神へと近づけるものか？
　これらの考え方があなたを神から遠ざけている場合、それは神から来たものではありません。人生に対するあなたの見方が神からのものでないと気がついたら、次の簡単な祈りをしてください。色眼鏡を真理へと置き換えることができるでしょう。例として、ダナが導いたサリーの祈りを紹介します。

サリーのケース

「何故、セッションを受けようと思われましたか？」

「以前 SOZO を受けて、とても自由になったのですが、まだ 1 つだけどうしても解決できていない問題があります」

「それは何ですか？」

「私がどこにいても、誰といてもそうなのですが、大勢の前にいても、スモールグループでも関係なく、私にその部屋にいて欲しいと願っている人は誰もいないと感じることです。誰か知っている人がそこにいたとしても、私にその部屋にいて欲しいと願っている人は誰もいないことがわかるんです」

　この時点で、サリーが色眼鏡をかけていることは明らかでした。あなたは受け入れられていると彼女に語ったところで、彼女はそれを受け入れず信じないことも明らかでした。

　そこでダナは、その嘘がどこから来ているのかを探ることにしました。「では、イエス様にその嘘をどこで学んだのかを聞いてみましょう。私の後に続いて祈ってください。『イエス様、私は周りの皆んなに歓迎されない者だという嘘を、どこで学んだのか教えてください』」

　サリーが祈りを繰り返した途端、彼女は椅子から飛び上がって目を開けました。「私が 3 歳の時に…」

「何を思い出したの？」

「多分、3 歳の頃です。私が外で遊んでいると、家の中から笑い声が聞こえてきました。何が起こったんだろうと思ってドアを開けると、家の中の人全員が驚いた様子で固まったんです」

「私の後に続いて祈ってください。『イエス様、この記憶から私が学んだ嘘は何でしょうか？』」

「私にその部屋にいて欲しいと願っている人は誰もいないという嘘です。」

「イエス様に、真理は何かを聞いてください。」

　彼女は椅子に座り直し、こう答えました。「イエス様が、私が 3 歳になる誕生日の前日に起こったことを教えてくださいました。家族と友人が私の誕生日会を計画してくれていました。私がその部屋に入った時、私にそのサプライズパーティーを悟られないようにと、みんなが話を止めたんです」

「私に続いて祈ってください。『イエス様、私がかけている拒絶、孤立そして孤独という色眼鏡をあなたにお渡しします。この色眼鏡を通して、私に影響を及ぼしている、またこの嘘に関係しているすべての悪霊にイエスの御名によって命じる。ここから立ち去りなさい』」

サリーは祈りを繰り返しました。それから顔を上げ、微笑みました。

「どんな気分ですか？」

「受け入れられた感じがします」

　私たちはSOZOを通して、このような眼鏡がいかに相談者の人生観を歪めているのかを見てきました。また、相談者は、一般的にいくつもの歪んだ認識をもっていることもわかりました。色眼鏡を1つもかけていない人は、滅多にいません。

　どんなに素晴らしいと思える親でさえ、完璧な子育てなどできません。同様に、罪のない子供たちも、存在理由を正当化するために聖書的ではないおかしな理由を作り上げるものです。あなたが色眼鏡をかけていることに気づいても、慌てることはありません。神とイエス、そして聖霊と共に対処すれば良いのです。色眼鏡との繋がりを断ち切ることで受け取ることができる神の真理が、あなたを自由へと導いてくださいます。

　色眼鏡に纏わる嘘を捨てるために、この短い祈りを捧げてください。

『天のお父さん、（色眼鏡をここに入れてください。例えば、私には価値がないという嘘）を信じてきたことをお赦しください。この考え方とそこに繋がる悪霊との関係を破棄します。（私には価値がないという嘘）をあなたの真理と置き換えてください。天のお父さん、代わりにどのような真理を与えてくださいますか？』

　祈り終えたら、神が与えてくださるものを聞いたり、見たり、感じたりするための時間を持ってください。神の真理を受け取ったら、自由になったことに感謝し、その贈り物を実行するようにしてください。

　SOZOで学んだ嘘にまつわる最後のカテゴリーは、狡猾な提案です。

狡猾な提案：これは、光の天使を装ったサタンが提案する嘘です。最初は害のないように見えますが、嘘と手を組むや否や、強い反抗心が生まれます。多くの場合、誘惑という形を取ります。小さな種火から始まり、気がつかないうちに手がつけられないほどの大きな炎となってしまいます。

　これらの問題を取り扱うには、根を見つけ、それを掘り起こすことが必要です。

　アダムとエバが、いかに簡単に蛇の狡猾さに騙されてしまったのかを思い

起こしてください。表面的には、サタンは、善悪を知る知識の木から取って食べてはならないという神の命令について聞いているように見えます。しかし、エバに対するサタンの根底にあるメッセージは、神のご性質に疑いを持たせ、禁じられている実を食べてみたいという欲求を起こさせるものでした。この質問は、神の命令が本当に２人にとって善なのか、信頼できるのかという疑いを、エバに起こさせました。そして、神を信頼することよりも、その湧いて出た疑問を確かめたいという欲求を満たすために、アダムとエバは蛇の提案を受け入れてしまいました。このたった１つの選択が、人類を破滅にもたらすことになったのです。

　狡猾な提案に乗ってしまった人の例を紹介します。

レイのケース

　長時間労働を終え疲れ切って家に戻ったレイは、ようやくリラックスできると、コンピュータの前に腰をおろしました。奥さんと子供たちはすでに寝ているので、１人で静かな時間を迎えました。オンラインの動画サイトを見ていくうちに、ほとんど服を身につけていないある女優に目が止まりました。

　レイはマウスをその上でクリックしました。この映像を見ることは賢い選択でないことはわかっていました。（もし自分がこんなものを見たと妻が知ったら、どのように思うだろう）とレイはスクリーンから目をそらしました。（でも、これはアダルトビデオではない。害のないただのＢ級映画なんだし…。卑猥な場面があれば目を瞑って見なければいいだろう）。レイは視線をスクリーンに戻しました。指はマウスの上をさまよっています。（なぜ見ちゃいけないんだ？ただの馬鹿げた映画じゃないか？）

　レイの考えた**害のないただの馬鹿げた映画**という嘘は、神にふさわしくない行動を正当化するための提案でした。一度は躊躇しましたが、この狡猾な提案が彼の心に定着してしまいました。クリス・バロトン牧師は、『モラル・レボルーション』（マルコーシュから出版予定）という本の中で「罪との戦いは心で勝利する」と語っています。私たちがサタンの考えに同調し始めた途端、自分自身を敗北へと向かわせることになります。これが、**悪魔に立ち向かいなさい**（ヤコブ四・７）と聖書に書かれている理由です。敵の策略を軽視すると、私たちは負けるのです。

狡猾な提案について更に詳しく理解するために、SOZO ミニストリーで行なわれた例をいくつか紹介します。

・惑わしの霊　私がしっかりして神の声を聞いている限り、人からのアドバイスを聞く必要はない。

・神への信頼の欠如　お金が必要。でも、神はまだ何もしてくださらない。こういう時は、自分でなんとかするべきかもしれない。とりあえずクレジットカードを使っておこう。

・自信喪失　今まで多くの失敗を繰り返してきた。認められるためには何か違う方法を見つけなければならない。

　狡猾な提案は、惑わしの霊と相伴って働きます。不安定な心理につけ込み、盲目にし、間違っているかもしれないという可能性から目を逸らさせ、人を騙すのです。このような状態から抜け出すには、本人の努力と悔い改める意志が必要です。

　狡猾な提案を受け入れてしまったもう 1 つの例を紹介します。

ジェイクのケース

　長い間、ジェイクは夫婦関係に悩んできました。子供が巣立ってからというもの、夫婦の距離はますます埋め難いものとなり、未解決だった問題が避け難いレベルにまで達してしまいました。やり直すために、まず癒しが必要なのは明らかでした。

　ジェイクは SOZO の導き手と向かい合って座り、辛い結婚生活について説明しました。

「もうどうなってもいいんです。私たちは終わっています。妻は 24 年前に結婚した女性とは、全くの別人になってしまいました」

　SOZO の導き手は、失礼の無いように質問をしました。

「何か、具体的に解決したい問題はありますか？」

　ジェイクは腕を組んで、「もし離婚することになったら、子供たちが悲しむ。それだけが問題なんです」

「やり直せるならやり直したいと、少しでも思いますか？」

　ジェイクは組んでいた腕を降ろして「いいえ」と答えました。

「そうですか。それなら、2 つの選択肢があります。ご自分の態度を変え、結婚問題の解決に取り組むか、このセッションを今すぐやめて、私たちが多

くの苦しみを感じなくて済むようにするかです」

　ジェイクは座り直して聞き返しました。「それはどういう意味ですか？」

「あなたがやり直したいと思っていないことが、よくわかりました。本人が望まない限り、SOZOをやっても意味がないからです。あなたが解決しようとしていない問題を、私たちがなんとかしようとすることは、お互いにとって良いことではありません」

　ジェイクは考え込んでいるようでした。

「あなたはどうしたいのですか？」

「せっかくにここに来たのですから、やってみます」

「では、まず目を閉じることから始めましょう。イエス様を思い浮かべてください。何か聞いたり、見たり、感じたりしませんか？」

　ジェイクは目を閉じ、耳をそば立てて聞いています。

「イエス様が海の反対側に立って私に手を振っています。何キロも離れているんですが、なぜか見えています。私は反対側の遠く離れたところにいて、イエス様を見ています」

「それを見て、どんな気持ちになりましたか？」

「長い間、イエス様を近くに感じたことがなかったと思いました」

「最後にイエス様を親しく感じたのはいつでしたか？」

「子供たちがまだ小さかった頃、家族揃って３日ほどディズニーランドに行ったことがありました。娘たちはとても楽しんでいました。妻と私もです。家族が上手くいっていた、ごく短い時期でした」

「では、私の後に繰り返して祈ってください。『イエス様、この記憶から私に思い出して欲しいことは何ですか？』」

　ジェイクは後に続いて祈り、静かに座り直しました。

「それが楽しかったことです。リラックスして一緒に過ごした時間でした」

「私の後に繰り返し祈ってください。『イエス様、それが変わったのはいつですか？』」

　ジェイクは祈りを繰り返したと同時に、肩を降ろしました。

「家に帰って来た時に、妻の両親が交通事故で亡くなったんです。２人には私の車を使ってもらっていました。それ以来、妻はそのことでいつも私を責めるようになりました」

「責められて、どう感じましたか？」

「悲しくて、イライラしていました」

「後に続いて繰り返してください。『妻の両親の事故は私の責任だという嘘を、今、取り消します。2人が私たちの人生に関わってくれて、私たちに幸せな思い出をくださったことに感謝します。私のことを恨み続けている妻を赦します。彼女に対する責めと批判を全て手放します。そして主よ、家族みんなで楽しい時を過ごすことができたことをあなたに感謝します。家に戻った後に家族を楽しませることができなかった自分を赦します。今、これら全てをあなたにお渡しします。代わりに、どのような真理を与えてくださいますか？』」

　ジェイクは祈りを繰り返しました。導き手は彼が返答するまで数分間待ちました。

「何か聞いたり、見たり、感じたりしましたか？」

　ジェイクは肩の荷を降ろしたようでした。「イエス様は、あの事故は私のせいではないから、自分を責めてはいけない、と言われました。それと、楽しく過ごせなかったのは、私の責任でもあると同時に妻の責任でもあると。全てを自分のせいにして自分を責めるのは止めなければならない、と言われました」

「では、私の後に繰り返して祈ってください。『イエス様、真理を教えてくださってありがとうございます。他にもまだ私が自分自身について信じている嘘があったら、教えてください。同様に、結婚について私が信じている嘘があれば教えてください』」

　ジェイクは繰り返して祈りました。「聖霊様は、自分たちの結婚はもうやり直しがきかないという嘘を、教えてくれました」

「あなたは納得していないようですね。」

「タイタニック号が海の底から浮かび上がってくると言っているようなものです。そんなことが起こるとは、考えられないんです」

「それはまさに、イエス様が望まれていることかも知れませんね。イエス様に聞いてみませんか？」

　ジェイクは頷きました。

「私の後に続いて祈ってください。『私たちの結婚はもう終わっているという嘘を捨てます。イエス様、あなたは王の王、主の主であられることを感謝します。あなたの知恵と偉大さ故に、あなたに解決できないものは何もありま

せん。イエス様、結婚生活に文句ばかり言ってきた私を赦してください。イエス様のお名前によってあなたに委ね、恵みを求めます。私に協力してください』」

　ジェイクは祈りを繰り返し、椅子に静かに座っていました。

「主は何か言われましたか？」

　一瞬の間をおいてから、彼は大きく息を吸い込みました。

「苦みを捨てなさいと言われました。一歩を踏み出す時だと」

「それを聞いて、どんな気持ちがしますか？」

「長い間、私は怒り続けて来ました。もしそれを止める方法があるなら、試してみようと思います」

「では、そのこともイエス様に渡しませんか？　イエス様がどう言われるのかを聞きましょう。私の後に続いて言ってください。『イエス様、長い間苦みを持ち続けて来た私をお赦しください。全ての怒り、欲求不満、そして苦みを手放します。自分の必要を話さずに、結婚生活を更に難しくしてきた妻を赦します。もうダメかも知れないという恐れを、あなたにお渡しします。イエス様、全てを新しくしてください。私が知るべきことを教えてください。真理を教えてください』」

　ジェイクは祈りを繰り返しました。導き手は彼が対処する時間を取りました。

「神様は何と言われていますか？」

　彼の目から涙が溢れ出ました。手で涙をぬぐうと、彼はこう答えました。「手放す時だと言われました」

「結婚を？」

「痛みを、です」

「わかりました。では、私に続いて祈ってください。『イエス様、導きに従うようにと招いてくださっていることを感謝します。あなたと戦うことをやめて、私たちの関係をお委ねします。私たちの心を１つにしてください。イエス様のお名前により、祈ります』」

　彼も祈りました。

「どんな気分になりましたか？」

　彼は気を落ち着かせてから答えました。「私は死にかけてはいない、という気がします」

「それは改善された証ですね」

　ジェイクは、あまりの痛みで、この結婚はやり直せるわけがないという嘘を受け入れていました。これらの嘘を取り扱うことを通して、イエスは、彼の疑念を打ち破ることができました。その結果、彼の優しさがまた戻ってきました。

　敵の狡猾な提案と結んでしまっている契約を解除する必要のある人は、この短い祈りをしてください。

『天のお父さん、（信じて来た嘘を入れてください）を受け入れてきたことをお赦しください。私は、敵がもたらしたこの（嘘）を捨てます。その代わりにあなたの真理に置き換えます。天のお父さん、代わりにどのような真理を与えてくださいますか？』

　祈った後で、神が教えてくださるものを耳にし、感じ、目にするまで待ってください。神の真理を受け取ったら、その真理を自分に適応してください。

　中には、敵の策略だったと知って落ち込む人もいることでしょう。しかし、恐れる理由は全くありません。イエスはすでに勝利されているからです。私たちも、すでに勝利した戦いの中にいるのです。私たちがすべきことは、それが完了するのを見るために、神と共に立つことです。

　霊と一致して知恵と力を示す方法を、イエス自らが私たちに教えてくださっています。自分自身が何者であり、誰に属しているのかを知ると、イエス同様、私たちもサタンの惑わしに動かされることがなくなります。

　イエスは、荒野での誘惑を通して、私たちにサタンとの霊的戦いをどのように戦えば良いのかを示してくださっています。サタンの策略に乗るのではなく、全ての誘惑に対して神の真理を持って即座に対応されました。サタンが石をパンに変えよとイエスに話した時、こう返答されました。「『人はパンだけで生きるのではない。』と書いてある」（マタイ四・4）。また、サタンが神の目的を達成するために自分を拝むようにと語った時には、「『あなたの神である主を拝み、主にだけ仕えなさい。』と書いてある」（ルカ四・8）と返答しています。サタンの策略と戦う術は、神の真理を持って応答することでした。

　サタンに対抗するためのイエスの戦略は、神の真理で答えることでした。サタンの考えについて思い巡らせるのではなく、素早く反応し、主の戒めを用いて決意を固めました。パウロもイエス同様、自分の考えではなく、主の教えの良き管理人となる必要があることを断言しています。

> **私たちは、さまざまの思弁と、神の知識に逆らって立つあらゆる高ぶりを打ち砕き、すべてのはかりごとをとりこにしてキリストに服従させ、また、あなたがたの従順が完全になるとき、あらゆる不従順を罰する用意ができているのです。**（Ⅱコリント一〇・5、6）

　使徒パウロは、自分の思いを管理することがキリストに似た者となるための鍵だと語っています。敵の考えから自分自身を守ることで、主の真理を自分に留めることができます。その結果、主のみこころに関与していくことができる者となるのです。敵の声を聞き分けることが難しい場合には、主ご自身とその言葉に心を向けることで、神にそぐわない思いを識別することができるようになります。

　マタイの福音書に書かれているペテロに対する応答は、イエスがサタンの策略を迅速に特定するもう１つの例を示しています。イエスはペテロの前に立ちはだかり、自分の弟子を通して働いている霊に対して素早く応答しているのがわかります。

> **しかし、イエスは振り向いて、ペテロに言われた。「下がれ。サタン。あなたはわたしの邪魔をするものだ。あなたは神のことを思わないで、人のことを思っている。」**（マタイ一六・23）

　イエスはいつも神とともにおられたので、ペテロが悪魔に利用されていることに気付かれました。常に真理を示されるイエスは、弟子との会話の中で起こっている問題を直ぐに指摘されました。それでも、彼らの関係はギクシャクすることなく、以前通りに保たれたのです。

　この聖句は、悪魔の嘘を見分けることに長けているイエスが、父の声を見分け、それに反する全てのものを明らかにされることを示しています。もし、私たちがイエスのように力ある生き方をしたいのなら、神の声を聞き、それ

以外のものを拒否する訓練をしなければいけません。

　もし、あなたが一見無害に見える敵からの嘘を受け入れ、信じているとしたら、敵との関係を断ち切り、主の赦しを求めてください。

『天のお父さん、破壊的な考えを楽しんでいることを赦してください。敵の嘘と結んできた関係を、今、断ち切ります。それらの影響から私を聖めてください。イエスのお名前により、これらの嘘をあなたに渡します。天のお父さん、その嘘に代わって、何を与えてくださいますか？』

　主が語られることを書き留め、自分の生活に適応してください。

　偽りの真理や色眼鏡、または狡猾な提案に惑わされていることに気がついたなら、それらとの関係を断ち切ることが大切です。もし、そのために手助けが必要だと感じる人は、SOZO セッションにお申し込みください。注1

　人生から敵の嘘を取り除いた後は、そこに神の真理を据えてください。永遠に影響を及ぼす力ある神の真理が癒し、回復、希望をもたらします。神の真理を受け取ると、嘗てなかった平安を体験されることでしょう。それを管理し、実りある歩みを続けるかどうかは、あなた次第です。

　SOZO セッションで打ち破りを体験された後は、セッションの中で受け取った神の真理を、その後数週間の間、繰り返し読むことを勧めています。真理を受け取った後で、打ち破りが閉ざされたような体験をする人もいます。精神的なものであれ、霊的なものであれ、そのような攻撃は敵から来るものです。その時にこそ、聖句とセッションの中で受け取った神の真理を読んでください。敵の策略に勝利する歩みを続ける励ましとなるでしょう。

　イエスの勝利により、全ての病や嘘、妨害が無効になりました。それ故、敵のいかなる悪巧みも存在する権利はありません。イエスが十字架の上で死なれた時、豊かな生命を買い取ってくださいました。イエスが私たちの痛みを担われたので、私たちは完全に生きることができるのです。そのことについて、預言者イザヤは次のように記しています。

彼はさげすまれ、人々からのけ者にされ、悲しみの人で病を知っていた。人が顔をそむけるほどさげすまれ、私たちも彼を尊ばなかった。（イザヤ五三・5）

　イエスの打傷により、私たちは癒されました。イエスが私たちの罪の代価を支払ってくださいました。それ故、私たちはイエスの打ち破りを頂き、買い取られた自由を生きることができるのです。

　神の息子や娘として成功した人生を送るためには、神の勝利者としての考え方を持たなければなりません。一人ひとりが力ある存在として自分自身を整える必要があります。パウロは、エペソ人への手紙の中でそのような行ないの必要性を指摘しています。

　私たちの格闘は血肉に対するものではなく、主権、力、この暗やみの世界の支配者たち、また、天にいるもろもろの悪霊に対するものです。（エペソ六・12）

　パウロはここで、「私たちの敵は人ではない」とハッキリと書いています。私たちの敵とは、天にいるサタンに属する支配する者たち、権威ある者たち、力と霊的軍隊です。「敵を倒すために神の武具を身に付けなさい」とパウロは私たちに勧告しています。そうすることで、私たちはサタンの策略に立ち向かうことができるのです。

　悪魔の策略に対して立ち向かうことができるために、神のすべての武具を身に着けなさい。（エペソ六・11）

　では、しっかりと立ちなさい。腰には真理の帯を締め、胸には正義の胸当てを着け、足には平和の福音の備えをはきなさい。これらすべてのものの上に、信仰の大盾を取りなさい。それによって、悪い者が放つ火矢を、みな消すことができます。救いのかぶとをかぶり、また御霊の与える剣である、神のことばを受け取りなさい。（エペソ六・14~17）

　しかし、御霊の実は、愛、喜び、平安、寛容、親切、善意、誠実、柔和、自制です。このようなものを禁ずる律法はありません。（ガラテヤ五・22、23）

神の言葉、正義、信仰そして聖霊という武具で身を整え、神の真理と1つになります。そうすることで、私たちは敵の攻撃に立ち向かうことができるのです。

グループで話し合う質問

1. この章を読んで、自分はどのタイプの嘘（偽の真理、色眼鏡、狡猾な提案）を握っていると思いましたか？
2. 具体的にはわからなくても、何かの嘘を信じていることに気がつきましたか？
3. どのような嘘を受け入れてきたのかを、聖霊様に聞いてください。
4. あなたが持っている神にふさわしくない考えについて、聖霊さまに聞いてください。

課題

1. 目を閉じて、自分が握っていた嘘や神にふさわしくない考えがないかを、聖霊に聞いてください。
2. その嘘をどこで学んだのか、または信じたのかを教えてくださるよう、聖霊に祈ってください。
3. その嘘を信じ、真理として認めたことに対して、悔い改めの祈りをしてください。
4. それらの嘘をあなたに教えた人を赦してください。
5. 嘘を受け入れてきた自分自身を赦してください。
6. それらの嘘により悪霊との関係を築いていないかを、神に聞いてください。
7. 悪霊との関係を断ち切り、イエスの御名によって追い出す祈りをしてください。
8. 今日捨てた嘘の代わりとなる真理を神に求めてください。
9. 神にふさわしくない考え方を主のものと置き換えながら、このシーズンを歩んでいくために聖霊をお招きしてください。
10. 神の言葉、聖書を理解し、今日、あなたに与えられた真理をその中に見つけることができるよう、聖霊に求めてください。
11. 聖書を学ぶ時、今日、神が語ってくださることを強固にする聖句を書

き出してください。

12. 神が啓示してくださった真理が、本当に自分の真理となるまで、それを声に出し、宣言し続けてください。

注1　bethelsozo.com

参考文献

スティーブ・バックランド（Steve Backlund）『Let's Just Laugh at That(ちょっと笑ってみましょう)』(Steve Bucklund 出版、未邦訳)

スティーブ・バックランド (Steve Backlund)『Victorious Mindsets(勝利ある考え方)』(Steve Bucklund 出版、未邦訳)

スティーブン・デシルバ (Stephen De Silva)『Prosperous Soul Foundations(幸いなるたましいの基礎)』（未邦訳)

ビル・ジョンソン (Bill Johnson)『励ます力』（マルコーシュ・パブリケーション）

ビル・ジョンソン (Bill Johnson)『The Supernatural Power of a Transformed Mind: Access to a Life of Miracles(変革された思いが持つ超自然な力：奇蹟あふれる人生を送る)』(Destiny Image、未邦訳)

イヴォンヌ・マルティネス (Yvonne Martinez)『Prayers of Prophetic Declarations (預言的な宣言の祈り)』(Yvonne Martinez 出版、未邦訳)

第 8 章

4 つの扉を閉める

　嘘は、SOZO セッションの中で最もよく見られる障害物です。しかし、相談者が真の自由を得るには、嘘を取り除くだけでは不十分です。もし、相談者が罪に関わっているなら、その罪を取り除かなければなりません。罪により、居場所を与えていた悪霊の要塞を、悔い改めを通して壊す必要があります。SOZO ミニストリーを始めた 1987 年に私たちが用いていた方法は、パブロ・ボタリ師による「自由への 10 のステップ」1 つだけでした。現在は、それに代わり、4 つの扉という方法を用いています。これは、相談者の人生に築かれた敵の要塞を見つけ出し、悪霊の束縛からの解放を導くために用いられます。ボタリ師によると、人が持つ身体的、霊的または感情的な問題は、**恐れ、苦み / 憎しみ、性的な罪、オカルト**という 4 つの扉のいずれかが開いた時に遡（さかのぼ）ることができるそうです。SOZO では彼の方法は用いませんが、人が悪霊の領域に踏み入るきっかけを見極めるために、この 4 つの分類を参考にしています。

　SOZO セッションでは、人生にある罪が何かを見つけるために、この 4 つの扉を用います。SOZO の導き手は相談者の要塞を見つけるために、この扉について 1 つずつ尋ねます。4 つの扉全部が閉じられたと相談者が感じるまで、この過程を続けます。

　初めに、そして最も頻繁に遭遇する扉は、**恐れ**です。この扉の中には、心配や不信、支配したい思い、不安、孤独、無関心、薬物とアルコールの依存があります。相談者がこのような問題を抱えているとわかると、SOZO の導き手は聖霊と協力し、それらとの繋がりを断ち、赦しを求め、真理を受け取るように導きます。

　恐れの扉を取り扱う過程は、次のようになります。

ステイシーのケース

　経済的な問題を抱えているシングルマザーのステイシーは、常に、恐れと戦っていました。アトランタで開催されたSOZOセミナーに出席した彼女は、相談者として公開セッションを受けました。ステージに上がり、椅子に腰かけた彼女は、目を閉じ、どこから始めたら良いのかを神に聞くようにとSOZOの導き手に言われました。

　数分が経ち、ステイシーは頭を振りました。
「何か聞いたり、見たり、感じたりしましたか？」
「ただ、心配を感じます」
「何について？」
「経済的なことです。主人が出て行ってから収入を得るのが難しい状態です」
「心配すると、どんな気持ちになりますか？」
「家族を養えないと感じます」
「それをイエス様に渡しませんか？」
「はい」
「私に続いて祈ってください。『イエス様、この不安と恐れ、心配とストレスをあなたに渡します。これらが私の人生を支配することを拒否します。恐れへの扉を開けたことをお赦しください。そして、これらの嘘を要塞にしている悪霊との繋がりを断ち切ってください。イエス様、真理を教えてください』」
　SOZOの導き手は、答えをいただくための時間をステイシーに与えました。
「何を見たり、聞いたり、感じたりしましたか？」
「イエス様が私と娘たちを抱きかかえています。必要なものは全て用意してあると言われました。私たちがすべきことは、『ください』と言うことだけです。でも、私の家はとても小さくて、あまり安全とは思えません」
「では、私に続いて祈ってください。『私たちを助けてくれなかった教会内外の友人たちを赦すことを選びます。彼らをあらゆる批判から解放します。私は１人で、誰にも助けてもらえないという嘘を捨てます。孤立の霊との繋がりを断ち切ります。これらの恐れをイエス様に渡します。イエス様、私の心にある全てのストレスを取り除いてください。イエス様、代わりに何を与えてくださいますか？』」
　ステイシーは導き手の祈りを繰り返しました。

「何か見たり、聞いたり、感じたりしましたか？」

「イエス様に導かれて図書館を歩いています。イエス様が電気をつけて、本の埃と蜘蛛の巣を払っています」

「その映像は、あなたにとってどのような意味がありますか？」

「イエス様が私に1冊の本を渡してくださり、これは私の心だと言われました。その本の表紙には「古い夢」と書いてあります。本の埃を払ってから、イエス様は、『もう一度、夢を見てもいいんですよ』と言われました」

「それを信じますか？」

　　ステイシーは頷きました。

「素晴らしい。では、もう一度目を閉じて、まだ他に恐れていることがないか、確認してください」

　　数秒後にステイシーは答えました。「自分が腕を抱きかかえて暗闇の中に立っています。怪我をしているように見えます」

「それを見て、どう感じますか？」

「安全ではないと感じます。挑戦しようとして失敗したみたいです」

「私の後に続いて祈ってください。『イエス様、私は恐れや失敗との繋がりを断ち切ります。過去の失敗によって夢見ることを忘れてしまったという嘘を、イエス様にお渡しします。人生を自分1人で抱えて生きなければならない、という嘘を捨てます。完璧にできなければ罰を受けるという嘘を、イエス様、あなたにお渡しします。真理を教えてください』」

　　数分経ってから、ステイシーは答えました。「イエス様が、私は危険をも恐れずに生きるものとして生まれたと言われました。それと、私は人生の破綻者ではないと。イエス様は私を見ておられ、問題がある時はいつでも、イエス様のところへ行けるんだと」

「それを信じますか？」

「はい」

「私の後に続いて祈ってください。『イエス様、恐れと歩んできたことをお赦しください。私は恐れの霊との繋がりを破棄します。イエス様の聖なる御名により、恐れの霊よ、立ち去ることを命じる。イエス様、今後二度と私に影響を与えることがないように、この扉を閉めてください。イエス様、恐れに代わって、何を与えてくださいますか？』」

　　ステイシーは祈った後に、こう答えました。「イエス様は、私に勇気をく

ださいます」

「私の後に続いて言ってください。『聖霊様、もし恐れが来たら、私はどうすればいいでしょうか？』」

　導き手は応答を受け取る時間をステイシーに与えました。「聖霊は、何と言われましたか？」

「私を信頼しなさい。私があなたを守る、と言われました」

「それを聞いてどんな気持ちですか？」

「だいぶ良くなりました」

　この場合、ステイシーは心配や不信、失敗への恐れなどを置き換える必要がありました。これらの思いが恐れの扉を開け、敵の影響を受け入れることを許したのです。この扉を閉じるために、導き手は彼女を悔い改めと置き換えの祈りに導きました。セッションの中盤、彼女は経済的に援助してくれなかった友人を赦しました。そうする責任が彼らにあったかどうかに関わらず、彼女は見捨てられたように感じていたのです。イエス様への信頼を取り戻すためには、友人を赦す必要がありました。

　ステイシーが持っていた心配の根底にある要因は、疎外感と失敗への恐れでした。この２つが彼女をそのような状況に閉じ込め、犠牲者と感じさせていたのです。霊的な傷にしがみついていたので、人生の破綻者という嘘を退けて初めて、神の真理を見ることができ、助けを求めることができたのです。

　神によって真理が植えられると、恐れとの間にあった縛りを断ち切るために必要な慰めがステイシーに与えられました。SOZO の導き手は彼女に扉が閉まっていることを確認してもらい、セッションを閉じました。

　（注意：たいていの場合、SOZO の導き手は、それぞれの扉が閉ざされるまで、４つの扉を用いて、セッションを導きます。相談者がさらにセッションを必要とする場合にのみ、扉を明けたままにしておきます。）

　恐れの扉の次に、憎しみや苦みの扉です。この扉の内側にあるのは、苦味、妬み、噂話、中傷、怒り、そして自己嫌悪（低い自己肯定感）です。誰かを憎むことなどあり得ないと信じているクリスチャンにとっては、混乱を招きかねない扉です。しかし、聖書は確かにこの扉に反しています。

兄弟を憎む者はみな、人殺しです。いうまでもなく、だれでも人を殺す者のうちに、永遠のいのちがとどまっていることはないのです。（Iヨハネ三・15）

しかし、いま聞いているあなたがたに、わたしはこう言います。あなたの敵を愛しなさい。あなたを憎む者に善を行ないなさい。 あなたをのろう者を祝福しなさい。あなたを侮辱する者のために祈りなさい。（ルカ六・27~28）

この聖句を念頭に置いて、クリスチャンが人を憎むことは可能でしょうか？

答えは、「はい」です。アダムとエバのように、私たちも悪を選ぶ可能性を持つ者です。神が私たちを息子や娘としてくださったからといって、間違った選択ができなくなった訳ではありません。回復された者としての歩みをすることが、私たちの任務です。

多くのクリスチャンにとって、憎しみという言葉を認めることは難しいようです。ですので、導き手は代わりに「苦み」や「赦さない思い」という言葉を使うようにしています。赦さない思いは憎悪、苦み、攻撃という形で、人の幸福を壊す最も大きな原因の1つとして現れるのを見てきました。怒りを持ち続ける時、悪霊が要塞を築いてしまいます。パウロは、そのことに関してエペソ人への手紙でこう書いています。

ですから、あなたがたは偽りを捨て、おのおの隣人に対して真実を語りなさい。私たちはからだの一部分として互いにそれぞれのものだからです。怒っても、罪を犯してはなりません。日が暮れるまで憤ったままでいてはいけません。悪魔に機会を与えないようにしなさい。（エペソ四・25~27）

これが、聖書が私たちに他人を赦すよう命令している理由です。それは、私たちを攻撃した人にとって益となるだけではなく、罪を犯させようとするものから私たち自身をも守ってくれるのです。

しかし、わたしはあなたがたに言います。兄弟に向かって腹を立てる者は、だれでもさばきを受けなければなりません。兄弟に向かって『能なし。』と言うような者は、最高議会に引き渡されます。また、『ばか者。』と言うような者は燃えるゲヘナに投げ込まれます。だから、祭壇の上に供え物をささげようとしているとき、もし兄弟に恨まれていることをそこで思い出したなら、供え物はそこに、祭壇の前に置いたままにして、出て行って、まずあなたの兄弟と仲直りをしなさい。それから、来て、その供え物をささげなさい。(マタイ五・22~24)

　憎しみや苦みの扉を閉めることは、その人の赦す能力に密接に関係しています。時には、赦すことが難しいこともありますが、先延ばしにしていると、日常生活にネガティブな実を実らせ、自分が作った牢獄に自らを閉じ込めることになります。

ゲイリーのケース

　ある SOZO のクラスで、ゲイリーという年配の男性が関節炎の癒しを受けようと前に出て来ました。彼がベトナム戦争で受けた傷について話すのを聞いた SOZO チームは、まず、赦しに取り組むことにしました。
「目を閉じて、私が祈るのを繰り返してください。『聖霊様、私の人生に赦すことができないものがありますか？』」
「聞く必要はありません。私にはわかっています」
「それは何ですか？」
　彼は、腕を曲げました。「長年、私はこの国に仕えてきました。何のためかって？　私は作家で、かろうじてタイプはできます」
「私の後に続いて言ってください。『聖霊様、誰を赦すべきかを教えてください』」
　しばらくの間をおいて、ゲイリーは答えました。「私の国です。私が帰国した時、まるで人殺しのように扱われました」
「私の後に祈ってください。『帰国した私を敬ってくれなかったこの国を赦すことを、私は選びます。イエスの御名により、あらゆる批判を破棄し、私を認めなかった人たちを赦します。私を殺人者とした人々を赦します。イエスの御名により、彼らを責めることをやめます。天のお父さん、代わりにあな

たは何を与えてくださいますか？』」

　ゲイリーが答えを受け取る時間を取りました。

「何か聞いたり、見たり、感じたことはありますか？」

「ジャングルの中で私と一緒にいたと、神は言われました。私を守っておられたと。でも、もしそれが本当なら、なぜ、私の腕を守ってくださらなかったのですか？』

「神がどう思われているのかを聞きませんか？」

「それが何かの助けになるなら、いいですよ」

「私の後に続いて祈ってください。『天のお父さん、私の関節炎についてどう思われていますか？　なぜ、この病を防ぐことができなかったのですか？』」

　そう祈ったゲイリーの表情が変わりました。「神は、この関節炎を気の毒に思っていると言われました。私がどんな辛い思いをしているのかわかっているが、怒る必要はないと言われました」

「長年、神に対して持ってきた責める思いを手放しませんか？」

「神は、私のことを怒っていないでしょうか？　私が怒ってきたことを赦してくださるでしょうか？」

「そのようにお願いしてみましょう。」

「もしあなたがそう思うなら、そうします」

「常に、主のみこころは癒しです。私たちがすべきことは、天からの祝福を受け取れるように自分自身を整えることです。苦みを捨てることも助けになります」

「わかりました」

「では、私の後に繰り返して祈ってください。『父なる神様、あなたに対して苦みを持ってきた私を赦してください。関節炎のことで抱いていた批判的な思いを全て捨て去ります。イエスの御名により、傲慢と怒り、そして赦さない心を、今、渡します。主よ。代わりに何を与えてくださいますか？』」

　導き手は、応答を受け取る時間をゲイリーに与えます。

「何か見たり、聞いたり、感じたことはありますか？」

「神は、義の冠を私にくださいました。私は常に神の王国の王子であり、そのように振る舞う時が来たと言われました」

「そう信じますか？」

「はい」

「祈りましょう。『天のお父さん、関節炎をあなたに渡します。私は、苦みを抱えなくてもよいという許可を自分の体に与えます。イエスの御名により、これら全てをあなたに渡します』

ゲイリーが祈り終えると、聖霊の臨在を感じ、彼は崩れ落ちました。導き手がどのような気分かを尋ねると、彼は腕を曲げて見せ、「かなりいい」と答えました。

「私の後に繰り返して祈ってください。『天のお父さん、関節炎が良くなったことを感謝します。私たちは続けて完璧に癒されることを祈ります』」

ゲイリーは、祈り終えると、腕をもう一度曲げてみました。SOZO の導き手は、今後、更に癒しが進むと期待すること、もし、また苦みが芽を出しそうになったら、それをイエス様に持っていくようにと、彼を励ましました。

この例で、ゲイリーはある程度の癒しを受け取りました。癒しは完璧ではありませんでしたが、彼が続けて祝福へと心の向きを合わせていくことで、更なる癒しが解き放たれていくことでしょう。赦しに取り組むことによって奇蹟へと続く道が開かれたのは、確かでした。

興味深いことに、ゲイリーの最大の勝利は、天の父に対する批判を手放したことでした。非聖書的に聞こえるかもしれませんが、クリスチャン（他の人もそうですが）は神に対して怒りを抱くことがあります。私たちは、パウロがヘブル人への手紙で、こころを**かたくなに**してと書いてあることだと信じています。

「きょう、もし御声を聞くならば、御怒りを引き起こしたときのように、こころをかたくなにしてはならない。」と言われているからです。（ヘブル三・15）

神と人の両方に持っている怒りを手放すことは、身体と心、両方の癒しにとって大切な要素です。神は決して間違いを犯されない方であるにも関わらず、神に対して怒りを持っている相談者がいます。しかし、神への苦みを手放すことによって心が柔らかくされます。その結果、神の祝福を受け取るための良い地が作られるのです。

　憎しみ・苦みの扉の次に続くのは、性的な罪の扉です。この扉には、不倫、ポルノ、姦淫、猥談、性的いたずら、アダルト・ファンタジーや強姦などが含まれます。肉体に対して罪を犯すことは、社会的に最も受け入れられないことですが、聖書には、そのような思いを持つことさえ同様に危険なことであると明確に記されています。

> 『姦淫してはならない』と言われたのを、あなたがたは聞いています。しかし、わたしはあなたがたに言います。だれでも情欲をいだいて女を見る者は、すでにこころの中で姦淫を犯したのです。（マタイ五・27~28）

　性において完全であるイエスの基準に沿って生きるには、キリストの心を持つことが不可欠です。そうなるためには、抑圧されている欲望と行動の両方を同等に扱わなければなりません。
　性的な罪を犯すもう１つの危険は、魂の結びつきが形成されることです。性的な関係を通して、霊的および感情的な繋がりが作られるからです。この聖句に記されているように、結婚関係の中での身体と感情の親密な結びつきが健全な関係を築くのです。

> それゆえ、人はその父と母を離れて、ふたりの者が一心同体になるのです。それで、もはやふたりではなく、ひとりなのです。（マルコ一〇・7~8）

　しかし、結婚関係以外で魂の結びつきが起こっているのを、私たちは見ています。このような魂の結びつきは、悪魔に属する不健全なものを作り出すことがあります。それを取り扱わずに放ったままにしていると、現在の結婚関係に摩擦を生み出すことになります。不健全な魂の結びつきから解放されるためには、その関係を破棄し、神の真理と置き換えることが必要です。魂の結びつきを破棄するとは、このようなことです。

『天のお父さん、（相手の名前）と性的な関係を持ち、不健全な魂の結びつきを持ったことをお赦しください。今、私の罪を赦し（名前）との間にある魂の結びつきを断ち切ってください。私の魂に残っている（名前）のどんなものも相手に返します。あなたの血潮で私を洗ってください。そして（名前）

に残っている私のものすべてを取り戻します。あなたの血潮で洗ってください。イエス様、魂の結びつきを断ち切った私が知るべきことは何ですか？』

性的な汚れのほんの末端に手を出すだけでも、私たちを不健康な道に導く可能性があります。

ネイトのケース

オーストラリアでSOZOセミナーを行なっていた時、性的な罪との繋がりを告白した中年の牧師、ネイトに会いました。彼自身が性的な罪を犯していたわけではありませんでしたが、兄がポルノの卸業者をしていることで、彼は罪責感と恥を抱えていました。チームと一緒にその問題に取り組むうちに、彼は兄を赦して先に進む必要があることを告白しました。しかし、そこには動かすことのできない、取り扱うべき重い重りがあることに、彼は気づきました。

「目を閉じて、私の後に続いて言ってください。『聖霊様、私の人生に取り扱うべき性的な罪はありますか？』」

彼は静かに座ったまま、腕を組みました。下唇を噛みながら観念した様子で答えました。「1つあります」

「それは何ですか？」

「いつもチャンスを逃しているような気がしていました。私が座っている間、兄が全ての楽しみを得ているかのように思っていました。私には決して楽しいことなんか起こらないという思いが、いつも私の中にあります。兄が盛大で豪華なパーティーを開いている間、私は宗教的な施設の中に閉じ込められているような感じです」

「それについて、聖霊がどう思われているかを聞きたいですか？」

「お願いします」

「私の後に続いて祈ってください。『聖霊様、私が信じている嘘は何ですか？』」

ネイトが祈りました。1分間の沈黙の後、「私の人生は退屈だ。罪を犯したほうがましだという嘘です」と答えました。

「では、真理は何かと、聖霊に聞きましょう。『聖霊様、私に教えたいと思っている真理は何ですか？』」

ネイトは祈りを繰り返しました。数分の沈黙の後、導き手は彼の準備がで

きているかどうか、確かめました。

「自分が丘の上に立っているのが見えます。光に包まれています。遠くに、闇に包まれた現実が見えます。聖霊が、それが性的な罪だと言われました。何キロにも渡って見えるのは、身をかがめて鎖に繋がれている人だけです」

「それを見て、どんな気持ちですか?」

「加わりたいと思うほど、楽しそうには見えません」

「私の後に続いて言ってください。『聖霊様、兄について、どう考えればいいですか?』」

ネイトは続けて祈りました。

「イエス様が、兄の手を握っているのが見えます。他の道があると、兄に伝えてくださっています。私が、兄が大丈夫かどうかとイエス様に尋ねると、心配しなくてもいい、聖霊が兄を捕まえているからと言われました」

ネイトの声は、次第にささやき声へと変わりました。「私は美しいものを持っていると、イエス様は言われました。兄の罪が楽しそうに見えても、そのような世界は悲しみに向かうだけだと」

「私の後に続いて祈ってください。『聖霊様、性的な罪を楽しいことのように見せている兄を赦すことを選びます。私は退屈な人生に閉じ込められているという嘘を破棄します。私の歩みに楽しみが加わるよう、祈ります。一歩一歩に喜びが満ち溢れますように。聖霊様、私に知ってほしいことは、何ですか?』」

ネイトは笑顔を見せました。

「何と言われたのですか?」

「『とても楽しくなる』とおっしゃいました」

　ネイト自身が性的な罪を犯していたわけではありませんが、自分も体験してみたいという思いが彼の心を痛めていました。その願いが実現する前に取り扱われたことは、幸いでした。

　もし、あなたが性的な罪を犯している、または、それらがもたらすものを見てみたいとその周りをうろついているようであれば、悔い改め、その思いとの関係を破棄してください。あなたがどれほど深い罪にはまっていても、聖霊はいつでもあなたを救ってくださるお方です。

　性的な罪の扉を閉めるもう1つの例として、テレサの相談者をご紹介し

ましょう。

　セッションの途中で、性的な罪と憎しみの扉が開かれていることに気づいたと、相談者が話しました。テレサは、相談者が赦さなければならない人が誰かいるのかどうかを、主に尋ねました。その答えを待っている間に、相談者である彼は、十代の頃に「人生を体験する」方法を見せてくれた友人のことを赦す必要があると感じました。

　相談者は、その生活を続けてきた友人や他の人々に赦しを解き放ちました。また、自分の欲望を満たすためにそのような行動を選んだことも赦しました。彼が天の父に自分は赦されているかと尋ねると、神は、そうだと答えられました。それから、彼はこの扉を閉めるために他にもするべきことがあるかを天の父に聞きました。父なる神は、性的な罪に関わっている人たちとの不健全な魂の結びつきを切る必要があることを示されました。テレサが、彼が持っている魂の結びつきを断ち切り、この結びつきにより失っていたものを取り返すよう、彼を導きました。最後に、彼女は、イエスの御名により汚れの霊に出ていくよう命じました。

　テレサがこれらを宣言した時、相談者は扉が閉じられたのを感じました。彼女がどのような感じがするかを尋ねると、彼は、数年ぶりに完全になれた気がすると答えました。

　4つの扉の最後は、オカルトの扉です。この扉の中には、占星術、運勢判断、タロット・カード、交霊会（霊媒）、コックリさん（ウイジャ・ボートなどの降霊術）、人を操作し操ること、悪魔崇拝の集会に参加すること、呪い、魔術の練習などが含まれます。相談者自らがこのようなことを意図的に行なっていなくても、オカルトに関連するグッズを購入したり、配偶者が行なっていたりする場合には、悪霊との繋がりがもたらされる可能性があります。

メアリーのケース

　これはニュージーランドで開かれた SOZO セミナーに参加した、結婚したての素敵な女性、メアリーの例です。彼女は長年に渡る酷い首の痛みからの解放を求めて、チームメンバーの1人とのセッションを予約しました。父親とともにやってきた彼女は、その問題に向き合いました。オカルトの扉

との関係について尋ねられると、過去、彼女は夫とともに悪魔的な体験に手を出したことを告白しました。

　SOZO の導き手が短い解放の祈りを導きました。

「私の後に続いて祈ってください。『天のお父さん、オカルトを行なってきたことをお赦しください。そのようなことを知りたいと思ったことを悔い改めます。イエスの御名により、私を赦してください。イエスの御名により、悪霊との関係を破棄します。聖霊様、どのような真理を知って欲しいと願っていますか？』」

　メアリーは聖霊の声を聞こうとしましたが、頭を振って、首に手を当てました。

「何も聞こえません。首の痛みが酷くなってきました」

「あなたが祈るたびに、酷くなるんですか？」

「時々、そうなります」

「聖霊様、この痛みの元を見せてくださいますか？」

　この時点で、導き手は悪霊の存在を感じていました。彼は首の痛みがただの痛みではないと伝えることもできましたが、聖霊の導きに従って、不健全な怒りとの関係を確認することにしました。

「私の後について祈ってください。『聖霊様、私の人生に、怒りはありますか？』」

　祈りを繰り返すと、メアリーの目が引きつりました。導き手はそれに気がつきましたが、表情には出しませんでした。（これを「SOZO フェイス」と言います）

「はい、怒っています。そうすることで、私は強くなれるからです。これが自分自身を守る唯一の方法なんです」

　導き手は恐れの思いを拒否し、続けました。「聖霊がそのことについて何と言われるかを聞いてみましょう。『聖霊様、このことについてどう思われますか？』」

「聖霊は、悪いことだと思われています。でも、私はやめるつもりはありません」

　この時、メアリーが発した声は、数オクターブ低くなっていました。彼女の父親は、部屋の隅に座って目を見開いていました。

「その怒りをイエス様に渡しませんか？」

「嫌です」

　この時点で、導き手はセッションを聖霊に任せることが最善であると決めました。

「聖霊様、この部屋に侵入し、オカルトとの繋がりを全て取り除いてください。敵よ。お前が見える。お前の無力さを笑っている。聖霊様、あなたがどのような悪霊よりも力あるお方であることに感謝します。」

　祈り終えると、悪魔の声は消えていました。メアリーはいつものメアリーに戻っていました。

「今の気分はどうですか？」

「良い気分です」

「聖霊様に怒りを渡しませんか？」

「はい」

「では、私の後に続いて祈ってください。『聖霊様、この怒りに関係している全ての嘘と繋がりをあなたにお渡しします。この怒りの霊を受け入れてきたことをお赦しください。それが私を強くするという嘘を破棄します。イエスの御名により、あなたに渡します。聖霊様、代わりに、何を与えてくださいますか？』」

　その祈りを繰り返した途端、メアリーは身体を激しく揺すり、姿勢を正しました。

「良くなりました」

「何が良くなったんですか？」

「私の首です。もう痛くないんです」

「全く？　素晴らしい。聖霊様が介入してくださったことを感謝しましょう！」

　涙でかすんだ目で、メアリーは５年も続いた痛みから、突然解放されたことを喜びました。

　この例では、メアリーがオカルトの扉を開けたことが切っ掛けとなり、悪霊との繋がりが作られていました。悪霊は怒りを隠れ蓑にして、敵対する結婚生活のなかで彼女を守る役割を果たしていました。言葉による虐待をしていた夫が攻撃的になるたびに、彼女は神にふさわしくない繋がりを怒りに変え、彼を脅して黙らせていたのでした。

　メアリーがオカルトに手を出すことによって、悪魔に住処を提供していたことになります。彼女がイエスに罪を告白し、敵と交わしていた契約を破棄して初めて、悪霊はそこを去らざるをえなくなりました。彼女は悪霊に滞在の許可を与えていたため、その許可が取り消された今、そこを去るしか方法がないのです。

メーガンのケース

　オカルトの扉と似たような体験をしたのは、過去に魔術に手を染めていたことのある、最近救われたメーガンです。テレサの事務所に到着した彼女は、オカルトの扉を閉じるセッションをしてほしいと申し出ました。彼女は誰かから、おかしなことが続いているのはオカルトへの扉が開いているからだと教えられたので来ました。その扉を確実に閉めるために、彼女はSOZOセッションに申し込んでいました。テレサは、成長の過程でオカルトに携わったことがあるかと彼女に尋ねました。十代の頃にあると、彼女は答えました。

　テレサが、天のお父さん、イエス・キリスト、聖霊をどのように理解しているかを尋ねると、メーガンは、過去にオカルトをやっていたことで神が怒っているのではないかと思い、彼らと話すのが怖いと答えました。この部分を取り扱うため、テレサはメーガンを破棄する祈りに導きました。
「私の後に続いて祈ってください。『過去に悪魔との関係を持ったことで、天のお父さん、イエス様、聖霊様は、私と話してくださらないという嘘を破棄します。天のお父さん、真理を教えてください』」

　メーガンは祈りを繰り返しました。彼女が神からの答えを受け取るための時間を少し取りました。彼女の準備ができたと感じると、テレサはこう続けました。
「何か見たり、聞いたり、感じたりしましたか？」

　メーガンが眉をひそめたので、テレサは何があったのかと尋ねました。
「私にオカルトを紹介した人たちみんなが、私を見て笑っていました」

　赦しが必要だと感じたテレサは、短い祈りを導きました。メーガンは躊躇しながらも、オカルトの世界に誘った人々を赦しました。その後、悪魔の領域が彼女の必要を満たすと考えていた自分自身も赦しました。テレサは解放の祈りへと彼女を導き、オカルトの扉に繋がっていると思われる全ての結びつきを断ち切らせました。

メーガンが祈りを繰り返すうちに、テレサは何かが起こっていることに気づきました。そこで、テレサは、何を耳にし、感じ、目にしたのかを彼女に尋ねました。彼女は、イエスが扉を閉めてくれたのを見て、十分すぎるほど彼女を気遣っていることを知り、衝撃を受けたと答えました。それから、イエスはドアの前に立ち、ここから何も入らせないと彼女に言われました。

　メーガンは泣きながらイエスに感謝しました。テレサは、イエスがしてくださったことを信じるかとメーガンに聞き、彼女は「はい」と答えました。これで悪霊からの攻撃が終わったことを確信し、テレサはセッションを終えました。

　オカルトへの扉について話す時に大切なことは、敵に不必要な力を与えないことです。聖書には、敵は私たちに対して何の権威も持っていないことが書かれています。

**　イエスは近づいて来て、彼らにこう言われた。「わたしには天においても、地においても、いっさいの権威が与えられています。(マタイ二八・18)**

　力においても大きさにおいても無限大の主は、過去・現在・未来において、悪魔を滅ぼすことができるお方です。更に、私たち自身も「私たちの足でサタンを砕く」と言われる存在です(ローマ一六・20 参照)。神とサタンの戦いは決して対等な戦いではないことを、相談者に思い出させる必要があるかもしれません。

　悪霊からの解放の働きをするなかで、敵が導き手と相談者両方を恐怖に陥れようとすることに気づきました。恐怖をかき立てると、悪魔的な領域が力を振るいます。その見せかけの力を失わせる最良の方法は、その脅しを無視することだけです。ダナは、悪魔はフグのようなものだと言います。彼らはあざけりや脅迫(身体的に見えるものも含む)によって存在を大きく見せはしますが、イエスの御名はその拡張した存在に穴を開けることができるのです。

　4 つの扉を閉めた後、SOZO の導き手は、他にも取り扱うべきものが残っていないかを相談者が聖霊に聞きながら確認するよう導きます。何も見つからなければ、全ての扉が閉められたとみなされます。

グループで話し合う質問

1. 赦せない思いや苦みを、誰かに対して感じていますか？
2. 自分自身を赦す必要を感じていますか？
3. 人生で上手く行かない部分に対して、神を責める思いがありますか？
4. 何か恐れを抱いていると感じますか？
5. 放棄しなければならない性的な罪はありますか？
6. 過去に、オカルトに関係したことがありますか？

課題

1. 赦す必要のある人がいるかどうかを、聖霊に聞いてください。
2. 怒りを抱いている人、あなたを傷つけた人がいたら、その人を赦してください。
3. 彼らが持っている神にふさわしくない魂の結びつきを断つことができるよう、主に求めてください。
4. 赦した後で、持っている苦みや憎しみ、怒りを主に明け渡してください。
5. 代わりに、何を与えてくださるのかを主に聞いてください。
6. 天のお父さんに、人生に対する恐れ、心配、不安があるかどうかを明らかにしてくださるよう、祈ってください。
7. 最初にその恐れを抱いた場所を示してほしいと、主に求めてください。
8. その扉を開けるきっかけとなった人を赦してください。
9. 恐れが全てなくなったと感じるまで、7 と 8 を繰り返し行なってください。
10. 恐れと共に歩んできたことを、主に赦してもらいましょう。
11. イエスの御名により、出て行くよう恐れに命じてください。
12. 恐怖の代わりに、何を与えてくださるのかを主に聞いてください。
13. 恐れの扉を閉じてくださるよう、主に祈ってください。
14. まだ放棄しなければならない赦し難い性的な罪を明らかにしてくださるよう、聖霊に求めてください。
15. 性的な罪と関係を持ったことに対する赦しを、イエスに求めてください。
16. 結婚前に性的関係を持った人との魂の結びつきを断ち切ってください。
17. 結婚後に性的関係を持った伴侶以外の人との魂の結びつきを断ち切ってください。

18. 魂の結びつきのためにあなたが持ち続けてきたものを、その相手に返してください。

19. その相手のところに置いてきたものを取り返してくださるよう、神に求めてください。

20. 汚れ、恥、罪悪感を主に明け渡してください。

21. 悪魔に付随しているあらゆるものに出ていくよう命じてください。

22. 汚れ、恥、罪悪感に代わって、主が与えてくださるものは何かを聞いてください。

23. 性的な罪の扉を閉めてくださるよう、イエスに祈ってください。

24. オカルトとの繋がりがあれば明らかにしてくださるよう、聖霊に聞いてください。（関係ないと思っていたものを示されたとしても、驚かないでください）

25. 神が明らかにしてくださったものを全て赦してくださるよう、祈ってください。

26. 神が明らかにされたものを、破棄してください。

27. あなたのために、その扉を開けた人を赦してください。

28. あなたが関係したことにより敵に力を与えているものがあれば、それとの繋がりを断ち切ってください。

29. 神に来ていただき、神にふさわしくないもの全てから聖めてくださるよう、祈ってください。

30. それらの代わりに何を与えてくださるかを、神に聞いてください。

参考文献

ブラッチフォード（Blatchford）『Faith. Freedom from Fear(信仰、恐れからの自由)』（未邦訳）

パブロ・ボタリ (Pablo Bottari) 『Free In Christ: Your Complete Handbook on the Ministry of Deliverance(キリストにある自由：解放のミニストリーに関する完全ガイドブック)』(未邦訳)

メアリー・レイク (Mary Lake) 『Creation House(創造の家)』（未邦訳）

ダナ・デシルバ & テレサ・リブシャー (Dawna De Silva and Teresa Liebscher) 『Sozo Basic(SOZOの基礎)』（未邦訳）

第 9 章

霊の流れを変える

　映画「ユージュアル・サスペクト」に出てくるケビン・スペイシーの有名なセリフに「悪魔がすごいのは、自分の存在を謎にしたことだ」というものがあります。多くのクリスチャンが、神は良いお方であると信じています──その通りです──が、同時に、悪魔の領域に注意を払う必要がないと信じていることも、私たちは見てきました。教会にとって、この考えは非常に危険なことであると実感しています。

　神とサタン、天国と地獄、天使と悪魔に関する真理を無視するなら、私たちは自分自身が運命の支配者であると信じていることになります。残念なことに、私たちは神学がもたらす結果を認識することができません。神の臨在を無視することで、私たちは悪魔に対して弱くなります。教会が、神と敵の両方に健全な教えを示すことができないなら、この世が超自然に対する独自の考えを持つ隙を与えることに繋がります。その結果、ハリウッド映画には、良い吸血鬼と悪い吸血鬼、良い魔女と悪い魔女、良い悪魔と悪い悪魔が溢れることになるのです。これは真理の線を曖昧にし、私たちの周りにいる悪に対する信者や未信者の心を麻痺させる結果となっています。

　好むと好まざるとに関わらず、この世は霊の戦いに巻き込まれています。そこには、神と悪魔、善と悪、天国と地獄があります。主が命をもたらし、運命とアイデンティティーを授けようとする一方で、悪魔は盗み、殺し、滅ぼそうと狙っているのです。幸いなことに、誰が勝つのかは、すでにわかっています。

　そして、彼らを惑わした悪魔は火と硫黄との池に投げ込まれた。そこは獣も、にせ預言者もいる所で、彼らは永遠に昼も夜も苦しみを受ける。（黙

示録二〇・10)

　私たちは、最終的に、神がサタンに勝利されることを知っていますが、パウロはこの世で起こっている霊の戦いを、エペソ人への手紙の中でこのように語っています。

　　私たちの格闘は血肉に対するものではなく、主権、力、この暗やみの世界の支配者たち、また、天にいるもろもろの悪霊に対するものです。（エペソ六・12）

幸いなことに、エペソ人への手紙の前半ではこのように教えられています。

　　神は、その全能の力をキリストのうちに働かせて、キリストを死者の中からよみがえらせ、天上においてご自分の右の座に着かせて、すべての支配、権威、権力、主権の上に、また、今の世ばかりでなく、次に来る世においてもとなえられる、すべての名の上に高く置かれました。（エペソ一・20、21）

　　キリスト・イエスにおいて、ともによみがえらせ、ともに天の所にすわらせてくださいました。（エペソ二・6）

　パウロによると、悪（神より劣るが）は存在し、天上にいることは確かです。憎しみ、罪、奴隷であるというメッセージを流すことにより、悪は、自分の思いを守ろうとしない人々を簡単に洗脳することが可能です。

　クリスチャンとして、私たちは神の御国が支配するのを見るために神と協力するよう召されています。キリストの血潮が私たちを購い、私たちは勝利を土台として立つ者とされました。悪との戦いは、重荷や重労働ではなく、神と手を組んで勝利を完成させるだけなのです。

　ダナは、エペソ人への手紙から着想を得て「霊の流れを変える」という概念を教えています。その教えでは、人、場所、地域の上に流れている敵が発する言葉を見分ける練習を説明しています。**敵が発する言葉は、憎しみ、罪、奴隷的なもの、不道徳やその他悪魔が与えようとする様々なメッセージであ**

る可能性があります。これこそ、ダナが特定の人、地域、場所が神の臨在と置き換える必要のある特有の考え方や嘘を運んでいると確信している理由です。

その霊の流れを変えるには、まず敵が発する言葉を認識することが必要だと、ダナは教えます。一度、認識できるようになると、無視、回避、停止することが可能になります。**「霊の流れ」**とはすなわち、ある場所の全体的な「雰囲気」であり、その場所から受ける「感覚」です。ダナは特定の家、人、場所が「放つ」、特有の「雰囲気」があると確信しています。このような霊の流れは、特定のラジオ局による放送を聞くのに例えることができます。

ただ、全ての霊の流れが悪魔的な訳ではありません。最後に映画を見に行った時のことを思い出してください。その映画に関する先入観を持っていたり、ひどい気分で映画を見始めても、自分が放っている雰囲気がイライラしたものから楽しいものに変わっていくという体験をしたことはありませんか？

仕事で大変だったのかもしれません。もしかしたら、携帯電話に没頭して映画館に行き、その日あった嫌なことを忘れようとしていたのかもしれません。いずれにしても、一旦映画が始まると、あなたが放っている雰囲気が冒険とスリル、畏敬の念に置き換えられたことがあるでしょう。これが**スターウォーズやインディージョーンズ**を初めて観た時に、多くの観客が経験することです。

観客が雰囲気を変えるもう 1 つの有名な映画は、**ジョーズ**です。今日までに一体何百万人の人が、泳いでいる最中にジョーズの音楽が頭に流れてきて、海から上がらないと！　という恐怖に襲われたでしょうか。

霊の流れをどう認識するかについてより深く理解していただくために、以下の質問について考えてみてください。

1. 部屋に入って他の州や国から来た人に会ったり、すれ違ったりした時に、突然、身体的、感情的、または霊的に何か違うものを感じたことはありませんか？
2. 悲しい気分で職場に入ったのに、ものの数秒で元気になったことはありませんか？
3. 気分良く目覚めたものの、時間が経つにつれてだんだんと気落ちしたことはありませんか？

これらのいずれかを体験したことがあるとしたら、霊の流れを変えるチャ

ンスに出会ったことになります。洞察力を用いると、人、場所、地域から流れて来る雰囲気が、自分の考え、感情、行動にどのような影響を与えるかを理解することができます。私たちは力を受けたクリスチャンとして、このような考えや感情を恐れる必要はありません。このような霊の流れに同意し、感じていることに気づいたなら、悔い改め、その霊との関わりを絶ち、その場を治める代わりとなるものを、神に聞いてください。

ダナがこのことを体験したのは、初めて海外宣教へ出かけた時でした。初日の夜に、ダナと息子のティモシーは、2人とも暴力的な夢を見ました。彼女の夢では、襲われ、レイプされそうになり、なんとか逃げ出す、というものでした。翌朝、彼女がティモシーとコリーの部屋へ行った時、ティモシーは暴力行為から女性を救い出し続ける夢について語りました。そこで、彼女は、恐れと手を組むのではなく、これらの感情を神に持って行きました。その後、彼女は息子や残りのチームメンバーとこのことについて話し合いました。

するとなんと、他のメンバー数人も同じような夢を見たことがわかったのです。このことにより、この地域に性的虐待の霊がはびこっているしるしであるというダナの直感が確信になりました。彼女がその地域にある教会のリーダーたちにこの夢のことを話すと、確かに、その地域では虐待が多発していることがわかりました。

神とダナのチーム、教会のリーダーたちが一緒になり、その地域と家庭内暴力を結びつける関係を断つ祈りをしました。彼女はリーダーたちを招き、その地域が性的虐待に同意したことに対する主の赦しを求め、代わりに主が何を与えてくださるのかを求めました。祈り終えると、彼女とリーダーたちは、その地域にいる女性たちの上に平安、健康、そして守りを解き放ちました。

1年後に同じ場所を訪れたダナは、その地域にある教会のリーダーたちから、その地域の暴力が減ったとの報告を受けました。幸いなことに、ダナとチームは、敵が流してきたものを通して攻撃の対象を知ることができました。そして、神と協力して、その影響を逆転させました。その地域では、地元の学校が、学校が終わる時間に校庭に来て、同じように平安を解き放ってほしいと頼むほど、地域の牧師たちは影響を与えているのです。

この話の中で、ダナとチームがネガティブな影響を受けたり、敵に権威を与えたりしていないことに注目してください。そうする代わりに、夢で見た

ものを敵の攻撃が何かを判断するための情報として用いたのです。その情報を、チームと地域教会のリーダーに伝えることで、彼らは敵の流してきたものに反する神による平安、守り、そして全き霊を流すことができました。この戦術のおかげで、その地域は変わり始めたのです。

　これが「霊の流れを変える」ことの目的です。信者として、闇を追い払い、イエスがこの世で召してくださった光となることが私たちの使命です。敵の流す霊を感じ取っても、恐れる必要はありません。敵の流すものに支配されたり、敵に霊的権威を渡す必要はないのです。私たちが高みにいて、神と調和していれば、敵の計画を耳にし、目にし、私たちは戦略を立てることが可能になります。敵が手の内を見せると、私たちは次の一手を知ることになります。そうすれば、私たちは神と協力して、敵の計画を覆すことが出来るのです。

　あなたの地域、家、職場の霊の流れを知るために、1日を通してその場所から受け取る思い、感情、体験を記録することをお勧めします。1週間にわたって記録し、自分にとっての「普通」の体験が何かを考えてみましょう。危機的な瞬間ではなく、定期的に起こることだけです。そうするとパターン化されたものが見えてきて、それがどのような雰囲気を作り出しているかがわかってくるでしょう。周囲の霊の流れを感知し、置き換える練習をする際に、ダナのワークブック『Atmospheres 101(霊の流れ、基礎編)』(未邦訳)を用いることをお勧めします。

　敵が流しているものに対して注意を向ければ向けるほど、それを察知する洞察力が高まります。あなたが町や人の中で、特定の霊を見分けることができたら、敵が流しているものに代わって神が流したいと願っている霊が何かを、神に聞いてください。そうするなら、祈りを通して神と共に働き、そこが神のものに置き換わるのを見るでしょう。

　霊の流れの変化は微妙な時もあれば劇的な場合もあります。その変化は思考(例えば、私はどうぜダメな人間、または私が選ばれるはずがない)という形をとって密かに起こることもあれば、全力で抵抗し、私たちを襲うこともあります。微妙なアプローチでは、あなたが自信に満ち溢れた人たちの中にいる時に、急に自分を惨めに感じる経験をすることがあります(私はなんて可愛くないんだろう……、誰にも望まれない、ここにいるべきではない、ここで一体何をしているんだろう)。このような思いは自分自身の考えだと

思いがちで、その場の霊の流れから来ているとは考えません。しかし、私たちが自分自身を注意深く観察し、普段はそのように考えていないことに気づくなら、サタンの痕跡をそこに見つけることができます。

　霊の流れとして認識するのが最も難しい理由は、それらが一見普通に聞こえることにあります。無意識のうちに身につけた考え方で、長年馴染んでしまっているからです。ビル・ジョンソン師は、激しい嵐の中を航海しているイエスと弟子たちについて分かち合った時、「あなたが権威を持つことができる嵐とは、その中にあっても眠ることができる嵐に対してだけです」と語られました（ルカ八・24参照）。つまり、人生の中で恐怖を伴う時、私たちはその恐怖という霊の流れに対してほとんど権威を持つことができないのです。

　否定的な考え方や雰囲気を受け入れているかどうかを見極めるには、聖書の御言葉に目を向けてください。ヨハネの福音書一〇章一〇節には、悪魔の目的は盗み、殺し、滅ぼすことであると書かれています。したがって、私たちから奪ったり、私たちを殺したり、滅ぼしたりする思考、感情、態度は、神からのものではなく、敵から生じたものだということです。敵が流しているものを無効にする神の計画は、「**真実、誉れあること、正しいこと、きよいこと、愛すべきこと、評判の良いこと、徳と言われること、称賛に値することに心を留めること**」（ピリピ四・8）なのです。あなたの思いから流れるものを整えるには時間がかかるかもしれませんが、これらの考え方を神の真理に置き換えることが重要です。

　自分から放たれる雰囲気を置き換えることは比較的簡単なことですが、要塞はさらに深いところに存在しています。要塞は、敵の統治体勢に服従するにつれて、時間とともに築き上げられていきます。敵の流すものに繰り返し同意することによって、要塞における悪魔の支配が強化されます。神の言葉と相反する思いが家族の信条となっている場合、そしてそれを、世代を超えて受け入れていく時に、敵の要塞は何世代にも渡り家系に引き継がれていきます。

　しかし、そのように強く築かれた要塞の力も、権威に屈した者が自分の罪を認め、神に赦しを求め、敵に対してさらなる同意をせずに歩みを始めるなら、すぐに取り除かれると信じます。敵が築いた要塞に同意してきた罪を告白した後で、以前の考え方を神の真理に置き換える必要があります。この過

程は嘘を置き換えるのと似ていますが、要塞に対する抵抗はより激しくなる傾向があります。相談者が、聖霊の助けによって、要塞を捨てて真理と置き換えることをはっきりと決心した時に限り、SOZO の導き手は導くことができます。これはルカの福音書に警告されています。

> **「汚れた霊が人から出て行って、水のない所をさまよいながら、休み場を捜します。一つも見つからないので、『出て来た自分の家に帰ろう。』と言います。帰って見ると、家は、掃除をしてきちんとかたづいていました。そこで、出かけて行って、自分よりも悪いほかの霊を七つ連れて来て、みなはいり込んでそこに住みつくのです。そうなると、その人の後の状態は、初めよりもさらに悪くなります。」** (ルカ十一・24-26)

　要塞との関係を完全に破棄し、心を開いて神の真理と聖霊に満たされ、罪に基づく思考や行動のパターンを変えたいと願い求める時に初めて、完全な回復の機会を得ることが可能になります。

　要塞が根を張るには、いくつかの異なる方法があります。1 つ目は、4 つの扉のいずれか、または全てを開く方法です。例えば、性的な罪を犯す時、性的な分野のパートナーとして悪霊を招き入れることになります。もし、この開いた扉の中で悪霊が働き続ければ、汚れの要塞が彼らに付着することになります。

　2 つ目は、両親から子供へと引き継がれ、世代を超えて繰り返されるライフスタイルによって築かれる方法です。親から怒鳴られたり、怒られたりする環境で育った子供は、それを普通の子育ての形として捉え、将来、自分の家族に対しても同じことを繰り返します。また、家庭内で性的いたずらを受けて育った場合、子どもは適切な境界線を理解することができず、成長して性的な罪の要塞を築く大人になるかもしれません。

　赦し、悔い改め、破棄することを通して、要塞は破壊されます。神の霊を要塞の権威と置き換えることで、要塞が崩されるのです。しかし、要塞は長い時間をかけて築かれるため、個人の完全な癒しにも、時間がかかります。破棄することと最初の解放は、瞬時に起こり得ますが、開いている扉を閉じたままにしておくことが、SOZO セッションを終えた後に続く相談者の仕事になります。神の真理に常に同意し、それに従うことによって、時間とと

もに、要塞が適切なライフスタイルに置き換えられていきます。このことについては12章でさらに詳しくお話します。

エペソ人への手紙に列記されているように、あらゆる悪魔的な空気の中で最も権威あるものとは、**力と支配**です。この2つは、特定の地域に流れているメッセージに含まれた、霊の世界における現実です。それらは御国の拡大のために取り除かれる必要がありますが、要塞や嘘のように簡単に扱えるものではありません。その地域に住む人たちは、長年、悪霊の力と支配を認めてきたため、それらが権威を持つようになっているからです。悪霊の持つ力を除くために、クリスチャンは神と交わり、その地域に対する神のご計画を知ることが必要です。もちろん、神は常に都市、人、地域が解放されることを望んでおられます。しかし、自分に与えられている権威外の場所で霊的な力を求めることは、賢明でないだけでなく、非聖書的でもあります。

聖書には、解放の祈りをする者に向けて、主から許可を得ることの重要性が書かれています。ここには、神に聞くこと無しに自分たちで悪霊を追い出す祈りをしたことが書かれています。不幸にも、その結果は良いものではありませんでした。

ところが、諸国を巡回しているユダヤ人の魔よけ祈祷師の中のある者たちも、ためしに、悪霊につかれている者に向かって主イエスの御名をとなえ、「パウロの宣べ伝えているイエスによって、おまえたちに命じる。」と言ってみた。そういうことをしたのは、ユダヤの祭司長スケワという人の七人の息子たちであった。すると悪霊が答えて、「自分はイエスを知っているし、パウロもよく知っている。けれどおまえたちは何者だ。」と言った。そして悪霊につかれている人は、彼らに飛びかかり、ふたりの者を押えつけて、みなを打ち負かしたので、彼らは裸にされ、傷を負ってその家を逃げ出した。（使徒一九・13~16）

メキシコのジャングル奥地で宣教活動をしているリバイバリストのデビット・ホーガン師は、それぞれの土地にいる力と権威に遭遇しています。それらの中には実際の姿を現したものもいます。彼は、これらと戦い、ミニストリーチームの一員として働くためには、1人が少なくとも1人の死者を蘇らせることが必要だと言います。

　何故、それほど厳しい条件が必要なのでしょうか？　それは、デイビット
が権威の重要性をよく理解しているからです。メキシコのジャングルで彼が
出会った敵は、長年、時には数世紀に渡って、その場所で権威を保っていま
した。神に守られるためには、宣教する者が与えられている霊的な権威を示
すことが必要であると考えています。

　これは、敵が神より大きな権威を持っているという意味ではありません。
それは単に、霊的世界における階級を示すためです。霊の戦いに於いて自分
を守るには、神の祝福と神の時、この両方を明確にする必要があります。神
の覆いなしに戦いに臨むことは、悪魔の領域による報復を招きます。

　力と権威に対処する賢明で聖書的な方法とは、祈りを通してそれらを除
くことです。フランシス・フランジペンは彼の著書『The Three Battle-
grounds（3つの戦場）』の中で、「私たち全ての者は悪魔を追い出すことが
できますが、地域を支配する霊を除くことは、また別の問題です」と書いて
います。通常、地域を支配する霊の権威を除くのには、時間がかかります。
その存在を認識し、その霊が過去に起こしたことを破棄し、今後、その霊と
手を組まないことを約束し、神がその場所に計画されていることを解き放つ
ことから始めます

> **わたしの名を呼び求めているわたしの民がみずからへりくだり、祈りを
> ささげ、わたしの顔を慕い求め、その悪い道から立ち返るなら、わたし
> が親しく天から聞いて、彼らの罪を赦し、彼らの地をいやそう。**（Ⅱ歴代
> 史七・14）

　戦略的な祈りの本に、ベニー・ジョンソン師の『ハッピー・インターセッ
サー』（マルコーシュ・パブリケーション）があります。悪魔の領域での戦い
を執りなすことに葛藤を覚えている人にとって、読む価値がある本です。

　これからご紹介するのは、これらの手順を上手く踏むことができなかった
人の例です。

　（注意：以下のお話は、みなさんを怖がらせるためのものではありません。神の
鼓動に従うことの重要性を示すために紹介します。イエスのように、私たちは父
がしておられることを見、行なうだけです）

　そこで、イエスは彼らに答えて言われた。「まことに、まことに、あな

たがたに告げます。子は、父がしておられることを見て行なう以外には、自分からは何事も行なうことができません。父がなさることは何でも、子も同様に行なうのです。(ヨハネ五・19)

ジューンのケース

　最近救われたばかりのジューンは、15年近く住んでいる家の隣家に否定的な霊がいることに気がつきました。彼女は新しく生まれ変わった者として、霊の戦いの重要性を学んでいるところでした。自分が学んだことを試せる機会だと思った彼女は、その家を訪ねてその霊を追い出そうと考えました。

　ジューンは、主が彼女に何をして欲しいのか聞くのを忘れていました。翌日、彼女はその家に行き、悪霊に立ち去るよう命じました。その直後、彼女は気弱になりました。恵みが消えてなくなるのを感じたのです。突然、強い恐怖が彼女を襲いました。命の危険を感じた彼女は、全速力で自分の家に駆け込み、ドアを閉めました。しかし、恐怖心は消えませんでした。その後数週間にわたって、夜になると酷い恐怖に襲われ、ついにSOZOセッションに申し込みました。

　セッションで、ジューンはすぐに自由を取り戻しました。SOZOの導き手は、短い質問を1つしただけです。
「神様に許可を求めましたか？」

　明らかに、彼女はそうすることなど考えていませんでした。無知から行動を起こし、隣の家に対して何をするべきなのかを神に尋ねなかったことを悔い改めました。彼女は導き手と一緒にいくつかの嘘を取り扱ううちに、隣家の解放は、彼女に任されてはいないことを理解しました。彼女には、まず祈り、神の指示を待って欲しかったのです。彼女はセッションを通して新たな自由と、御父に聞くことの重要性を知ることができました。

　この世の救いのために私たちが共に働くことは、神にとっての喜びです。だからと言って、この世の救いは私たちだけに任されている訳ではありません。不適切な責任を負うことは、神の声に従うのを拒むことと同等に危険だということに、私たちは気づきました。神がしようとしておられることを知り、その守りの内に留まりながら、神が望まれるものを解放し、そこを支配する力を排除していく。そうする時に、安全に霊の流れを変えることができるのです。私たちは、そこに流れているものと神がそれについて何を望まれ

ているのかを知り、神の臨在を解き放ちます。神は、私たちが行動を起こすことを望まない時もあります。それ以外の場合は、すぐに行動するようにと語られます。どのような霊の戦いも、神に導いて頂きましょう。そうするなら、神の権威の下で、神の平安の内に守られ続けるのです。

グループで話し合う質問

1. 「通常」自分が醸し出す雰囲気がどのようなものかを知っていますか？
2. 大勢の人の中にいたり、違う場所に行くと、平安を失いますか？
3. 周りの人から流れているものに気付いていますか？
4. 自分の人生に要塞があるかどうかを知っていますか？
5. 自分が漂わせている「雰囲気」に気付いていますか？
6. あなたの地域にある霊的な力や権威を、明確に認識できていますか？

課題

1. あなたが周りに漂わせている雰囲気が何かを、神に聞いてください。
2. もし神にふさわしくない雰囲気を漂わせているなら、それを悔い改めてください。
3. その雰囲気を漂わせる原因となった扉を開く嘘に、あなたがどこで同意したのかを神に聞いてください。
4. その嘘を信じた時にあなたを傷つけた人がいたら、その人を赦してください。
5. その嘘をイエスに渡してください。そして、その嘘に置き換えるべき真理を、イエスに聞いてください。
6. これからどのような雰囲気を漂わせれば良いのかを、聖霊に聞いてください。
7. この変化の中で歩み始め、一日中、神の心を解き放つことに真剣に取り組んでください。

参考文献

ダナ・デシルバ (Dawna De Silva)『Atmospheres 101（霊の流れ　基礎編）』（未邦訳）

ダナ・デシルバ (Dawna De Silva)『Shifting Atmospheres（霊の流れを変える）』（未邦訳）

ベニー・ジョンソン『ハッピー・インターセッサー』（マルコーシュ・パブリケーション）

クリス・バロトン『スピリット・ウォーズ：見えない敵に打ち勝つ』（マルコーシュ・パブリケーション）

第 10 章

孤児の霊を退ける

「全ての道はローマに通ず」という古いことわざがありますが、インナーヒーリングの領域では、全ての嘘、恐れ、要塞はサタンに繋がっています。神には、サタン率いる悪霊の倍の御使いがいますが、それでもこの世は混乱の中にあります。何故でしょうか？　答えは簡単です。この世は、孤児の霊に囚われているからです。

　ニューヨークにある復活教会の司教、ジョセフ・マテラ師はこの言葉の意味を以下のように説明しています。

> 『アダムとエバがエデンの園で天の父から離れて以来、孤児の霊がこの世に浸透し、計り知れない被害をもたらしています（「孤児」とは、見捨てられたという思い、孤独感、疎外感、孤立感のことを指します）。エデンの園での堕落が起きた直後に、この孤児の霊が嫉妬を引き起こし、ついには父なる神がカインのささげ物を受け取らなかったために、カインが弟アベルを殺害してしまいました。さらに悪いことに、各家族の崩壊を伴う現代社会では、多くの人々が神から離れているだけではなく、実の父親からも愛され守られることなく育っています』注1

孤児の霊は、愛なる天の父から切り離された息子や娘の考え方を、体現しています。見捨てられたという感覚によって、アイデンティティー、備え、守りの欠如を埋めるために、嘘、罪、利己的な行ないを繰り返すのです。この真理を聖書の知識と重ね合わせると、天の父との日々の交わりが欠けているため、私たちのうちにこの概念が広がっているのがわかります。

　スティーブン・デシルバは、孤児の霊は貧困の霊と同様、悪霊ではないと断言しています。むしろ考え方です。「もし孤児の霊が悪霊なら、追い出すことにより、人々は一瞬にして自由になるはずです」と彼は言います。しか

し、スティーブンは自身のミニストリー「Prosperous Soul Ministries（繁栄する魂ミニストリー）」の働きを通して、孤児の霊を追い出すことは、個人が天の父の心と繋がる時にしか効果がないことに気がつきました。この父との出会いを通して、相談者は孤児の霊の考え方を捨て、キリストによる養子とする御霊を受け入れることが可能になるのです。（ローマ八・15 参照）

キリストによる養子の霊とは何でしょうか？　それは、天の父が息子や娘たちを霊の養子にしたことを指します。イエスの十字架による贖いを受け入れることを通して、私たちが御国に入る時に与えられるものです。これは創世記でアダムとエバが神に対して罪を犯した時に、失ってしまった贈り物です。霊的な息子や娘であることが、天の父との一致をもたらします。それは、私たちが信じている嘘を無効にし、真のアイデンティティーを明らかにし、人生における個人の召しに力強く歩む勇気を与えてくれます。

人が罪を犯して以来、父なる神は息子や娘たちに元の関係 ―― 臆することなく平安のうちに神と歩む関係 ―― に戻るための方法を提案し始めました。神は、失われた人を救うための生きたなだめの供物として、尊い一人子であるイエス・キリストを捧げてくださいました。人類のためにご自分の血潮を代価として捧げられたイエスは、永遠の、そして力ある息子として甦（よみがえ）られました。彼は天に昇られ、私たちはもう一度天の父との個人的な関係に入るチャンスが与えられたのです。**「神殿の幕が上から下まで真二つに裂けた」**（マルコ一五・38）

救いの後で、世界が騒然としている問題を解決するために取るべき次のステップは、キリストによる養子の霊です。救いによって地獄から救い出されただけではなく、天の父との個人的な深い関係を体験することにより、この世に対して孤児の考え方の代わりとなる力をこの世に与えることができるのです。天の父と繋がり、アイデンティティー、平安、喜びが回復に満ちた世界を想像してみてください。

ですから、パウロはこの世と調子を合わせてはいけないと言ったのです（ローマ十二・2 参照）。孤児の考え方に染まっているこの世は、死のストレスを軽減するためにこの世にある代わりのものに焦点を当て、一時的な存在に自らを結びつけます。クリスチャンは、この世のはかない存在に焦点を合わせるのではなく、永遠を念頭に置いて生きるという選択肢が与えられています。これによって、私たちは神によらない肉的な欲望に駆られることなく、

自分だけでなく周りの人のためになる選択をすることができるようになります。ベテル教会では、これを御国の生き方と呼んでいます。

この世と調子を合わせてはいけません。いや、むしろ、神のみこころは何か、すなわち、何が良いことで、神に受け入れられ、完全であるのかをわきまえ知るために、こころの一新によって自分を変えなさい。（ローマ十二・2)

だから、こう祈りなさい。『天にいます私たちの父よ。御名があがめられますように。御国が来ますように。みこころが天で行なわれるように地でも行なわれますように。（マタイ六・9,10)

　孤児の霊から解放されるには、キリストによる養子の霊を受け入れなければなりません。そのためには、孤児の考え方との繋がりを捨て、神の真理を受け入れる必要があります。

　孤児の霊を特定し、破棄し、置き換える過程は、嘘を破棄する過程と似ています。これは考え方であるため、これらの考えが十字架に反対（対立）していることを見分けるための手助けが必要かもしれません

　孤児の霊をより正確に特定するために、特徴の一部を以下に示します。

1. 私は孤独　他の人が成功するのが嫌い。自分を惨めに感じるから。
2. 私は必要とされていない　自分のことは自分でなんとかするしかない。私のことを気にかけてくれる人などいないのだから。
3. 私は価値のない人間　愛されるにはそれなりの努力が必要。
4. 自分で治さなければならない　私は何も悪いことをしていない。ただ働き続けなければ。痛みは放っておけば、そのうちなくなるだろう。
5. 成功すれば認められる　仕事で成功できたら、ようやく私は認められる。
6. 他人は利用するためにある　人間関係は最大限利用するべき。人は自分が上に上がるための踏み台。

　このような考え方は孤児の霊が存在する証拠です。人々を怖がらせ、孤立させ、神から引き離すために作られた嘘です。備え、守り、アイデンティティを失う恐怖へと導きます。孤児の霊に悩んでいる人は、彼のような特徴があるかもしれません。

ダグのケース

　ダグは作家志望の三十代でした。しかし、妻と2人の娘との生活では、創作活動の時間を少ししか取ることができませんでした。親友のケイレブとトレントが、週に一度、執筆のための集まりを始めた時も、彼はスケジュールの都合で月に2回しか参加することができませんでした。

　時間の経過とともに、参加者の作文能力は向上していきました。しかし、ダグは、ケイレブとトレントの能力は他の参加者以上に上達しているように感じていました。2人は時間的に余裕があり、執筆に多くの時間を割くことができたからです。結果は彼にとって不公平に感じられるものでした。彼自身、思うような進歩が見られなかったのです。

　ダグが最初に嫉妬を感じたのは、地元で行なわれた朗読会の夜でした。自作の詩を朗読しているダグへの拍手が他の参加者、特にケイレブとトレントと比べて少なかったのです。次回までに挽回しようと、ダグはますます執筆活動に没頭しました。必ず上達するとの決意をし、子供たちと一緒に招かれたパーティーへも行かず、妻と予定していた久しぶりのデートさえもキャンセルしました。

　その甲斐あって、ダグの腕前は向上しました。しかし、ケイレブとトレントの方がさらに先を行っていました。彼らには出版社から出版の話が来たのです。地元の出版社は、ダグが彼らと一緒に送った原稿に目を留めず、彼らに出版契約を申し出た時、ダグは強烈な一撃を浴びました。

　もちろん、ケイレブとトレントは有頂天でした。一方、ダグは打ちのめされていました。その後の数ヶ月に渡り彼が落ち込んでいる間にも、ケイレブとトレントにはますますよい話が舞い込んできました。徐々にダグは2人の友人に腹を立て始めました。正しいかどうかに関わらず、見捨てられたと感じていました。

　残念ながら、ダグは自分の気持ちを一度も打ち明けませんでした。痛みを抱えた彼は、ケイレブとトレントから離れ始めました。彼らとの執筆協力の関係は消滅してしまいました。絶望した彼は、自分が書いたものを全て捨てることにしました。数週間後、妻のコリーンが彼の原稿をゴミ箱の中で見つけ、彼がもう一度夢見ることを取り戻せるよう励ましました。結局、彼は地元の映画制作会社に原稿を送り、返信の電話を受け取ることになりました。

　ケイレブとトレントの成功に対するダグの怒りは、孤児の霊に囚われていることを意味します。成功を求めるあまり、友人と同等のレベルでなければ自分自身の価値を見出せなくなっていたのです。彼らの成功に対する怒りのため、ダグは内心彼らの失敗を望んだほどでした。彼らが先に進む度に、自分を恥ずかしく感じるようにさえなっていきました。

　ダグのケースは、典型的な孤児の考え方を表しています。孤児の考え方を持つと、次のような思いを持つようになります。（私は成功なんてできない。私には無理。他の人のように立派ではない。彼らのように人に好かれるタイプではない。ステージ上では彼が私よりも注目されるはず。彼らは神様から賜物をもらっているからいいけど、私は人一倍努力をしないといけない）と言うこれらの声は、御国の考え方に真っ向から対立しています。

　孤児の考え方を受け入れると、競争、嫉妬、羨望、憎しみ、怒りといった悪霊的要素とも繋がるようになります。時間をかけてこれらの声を受け入れていくなら、神にふさわしくない要塞を築くことになります。パウロはこれらの考えについて注意するよう私たちに語っています。

**　しかし今は、あなたがたも、すべてこれらのこと、すなわち、怒り、憤り、悪意、そしり、あなたがたの口から出る恥ずべきことばを、捨ててしまいなさい。**（コロサイ三・8）

　このような態度はキリストのイメージに反するものであり、互いに対立させるものです。これが、孤児の霊が危険な理由の１つです。孤児として生きる時、人は決して満足することがありません。天の父が自分をどうご覧になっているのかがわからないと、人は自分を良く見せようとし、成功を求めます。ダグのケースでは、些細なことを切っ掛けにして、周りの人との距離をさらに広げる結果を招きました。

　ダナは、孤児の霊は２つの異なる行動パターンに分けられると考えています。無力な孤児は被害者として行動し、強力な孤児はいじめっ子として行動します。被害者意識がある人の中に孤児的考え方をする人がいることは容易に理解しますが、いじめっ子の考え方がどこから来るのかについて誤解している人が多くいます。被害者意識を持つ人は弱いと嘲笑されますが、いじ

めっ子は強力で成功していると称（たた）えられます。強力な孤児が持つその他の特徴としては、パフォーマンス、完璧主義、神にふさわしくない自己満足などがあります。これらは一見力強く見えますが、実際には孤児の霊の根底にある考え方を、見えにくくしています。

　孤児の霊を取り除くには、養子となったことを受け入れ、神の息子や娘となることが必要です。孤児の霊の考え方を捨ててキリストの考えを受け入れる過程は、これからご紹介するような形を取ることがあります。

　最近祖母になったキャロルが、セッションを受けに来ました。2人の孫ができた後に、深刻な鬱（うつ）状態に陥りました。その原因に思い当たる節がなかったため、SOZOセッションを受けることにしたのです。彼女が入室してすぐに、チームメンバーたちは何か不健全な存在が彼女についているのに気づきました。

「今日は、どのような祈りが必要ですか？」

「とても変に聞こえるかもしれませんが、最近、孫が2人与えられました。喜んでいいはずなのに、すごく悲しくなり、落ち込んでいるんです」

「前にも同じようになったことはありますか？」

「こんなに酷くなったことはありません」

「イエス様に来ていただいて、どのようにお考えかを聞いてみませんか？」

「心からそうしたいと思ってます」

「では、目を閉じて私の後に繰り返して言ってください。『イエス様、自分自身について信じている嘘はありますか？』」

　導き手は数分間、キャロルが答えを受け取る時間を取りました。

「何か聞いたり、見えたり、感じたりしたことを教えてください」

「自分が赤ちゃんになって病院にいます。母が私を抱っこしています」

「それを見てどんな気持ちがしますか？」

「いい気持ちです。でも、母が父を見たのは、この日が最後だったことを覚えています。この直後に、父はいなくなりました。それから一度も会っていません」

「一緒に祈ってもいいですか？」

「もちろんです。」

「では、私の後に繰り返して言ってください。『私たちを見捨てて養わず、守ってもくれず、私の人生に全く一緒にいてくれなかった父を赦すことを選びま

す。私には娘としての価値がない、という嘘を破棄します。天のお父さん、私に教えたいと思っている真理は何ですか？』」

　導き手がキャロルにティッシュの箱を手渡すと、彼女はすぐにそれを使いました。答えをいただくための時間を取った後で、導き手が尋ねます。

「イエス様は何を見せてくださいましたか？」

「イエス様は、父親がいないことで私の価値が無くなる訳ではない。それはただ単に、父親がいなかったというだけのことだとおっしゃいました」

「わかりました。もう一度祈ってもいいですか？」

「お願いします」

「私の後に繰り返して言ってください。『イエス様、私の孫は父の愛情に恵まれないという嘘を破棄します』」

　こう祈るや否や、キャロルは泣き始めました。

「私の後に続いて祈ってください。『義理の息子が子供たちを見捨てると信じてきたことを悔い改めます』」

　彼女は涙を拭き、ティッシュを両手で握り潰しました。

「義理の息子が父のことを思い出させることを赦します」

　彼女は祈りを繰り返し、ティッシュで鼻をふきました。

「天のお父さん、この嘘に関することで他にも取り扱うべき問題があるのでしたら、教えてください」

　少し待ってからキャロルが頭を振りました。それから目を開いて、

「自分がこんなにも、自分の父親像を息子に重ねて見ていたとは考えてもみませんでした。息子は父に全然似ていないにも関わらず、私は息子を全く信頼することができなかったんです」

「そのことについても祈りましょう。イエス様がどのようにお考えなのか、知りたくないですか？」

「もちろんです」

　このSOZOセッションで、キャロルは孤児の霊と格闘していました。父親に見捨てられていたために、彼女には健全な親子関係がどのようなものかという概念がありませんでした。痛みに対処するために、彼女は恐怖心を義理の息子に投影し、捨てられるという恐怖を2人の孫に結びつけていました。平安を受け取るために、彼女は不信感を神による受容に置き換えました。彼女は恐れとの関係を断ち切ることで初めて、物事を天の視線で見ることが可

能になったのです。

　続けていくつかの嘘を取り扱った後に、キャロルの鬱は癒されました。数ヶ月後、彼女から、孫たちが見捨てられるのではないかという恐怖がなくなり、孫たちとの時間を楽しめるようになったという報告がありました。彼女のセッションでは、神による養子の霊を受け取ることにより問題の解決を見ることができました。

グループで話し合う質問

1. 人生に孤児の霊の痕跡を見ることがありますか？
2. 不健全な競争と格闘していますか？
3. 人生に打ち破りが必要な分野において、他の人の成功を喜ぶことが難しいと感じていますか？
4. 孤独、拒絶、他者より価値がないと感じていますか？
5. 自分は周りの人より優れていると感じていますか？
6. 承認や成功を得るために無理をしていることはありますか？
7. 自分は無力な孤児だと感じていますか？
8. 職場や学校で偏見の対象になっていると感じますか？
9. 人生において休息をとることができないと感じていますか？
10. 自分の人生に対して不平を言っていますか？
11. 人から軽蔑されていると感じますか？
12. 自分を強力な孤児だと思っていますか？
13. あなたは意地悪で要求の多い人だと思われていますか？
14. 周りの人は、あなたのことをよそよそしく感じたり、失礼な人だと思っていますか？
15. 自分は周りの人よりいい人間だと思うことはありますか？

課題

1. 人生において、孤児の考え方の痕跡を明らかにしてくださるよう、聖霊に聞いてください。
2. 孤児の霊の異なる行動パターンにおいて、犠牲者としての考えが強いのか、いじめっ子としての考えが強いのかを、聖霊に聞いてください。

3. 聖霊が教えてくださったことを書き留めてください。

4. このような考えに基づいて行動してきたことを赦してくださるよう、天の父に求めてください。

5. 自分は孤児であると信じ、嘘を受け入れてきたことを赦してくださるよう、天の父に求めてください。

6. 孤児の考え方と合意することを破棄してください。

7. 今まで受け入れてきた孤児の考え方を、神に明け渡してください。

8. 代わりに、神があなたに与えたいと願っておられる真理を求めてください。

9. 過去の習慣で変えるべき最初の一歩は何かを、聖霊に聞いてください。

10. 教えられたことを書き留め、それを一週間に亘って実行してください。

注1 ジョセフ・マテラ (Joseph Mattera)、『The Difference Between the Orphan Spirit and a Spirit of Sonship（孤児の霊と神の子供の霊の違い）』(Charisma News、未邦訳)

参考文献

スティーブン・デシルバ (Stephen De Silva)、『Prosperous Soul Foundations（幸いなる魂 基礎）』(未邦訳)

ジャック・フロスト (Jack Frost)、『Experiencing Father's Embrace（御父の抱擁を体験する)』(Destiny Image、未邦訳)

第 11 章

健全なバランスで生きる

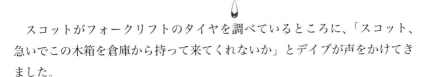

　スコットがフォークリフトのタイヤを調べているところに、「スコット、急いでこの木箱を倉庫から持って来てくれないか」とデイブが声をかけてきました。

「先にこれが動くかどうか確かめないと」

「それは明日にしてくれ」

「いや、今すぐ必要なんだよ」

　デイブがクリップボードを指先で弾いた瞬間、

「痛い！」、スコットは指の関節をボルトで擦ってしまい、苛立ってスパナをタイヤに叩きつけました。そのことは気にも止めずに、デイブは腕時計を見ました。

「終わったか？」

　スコットは血まみれの手を見つめながら心の中で考えました。（俺が怪我したっていうのに、デイブは気にもしないのか）

「スコット、聞いてるか？」

　スコットは怒りでいっぱいになりました。彼はもはやデイブではなく、薄情な父親、グレンを見ていました。

「スコット、おい、スコット！　起きてるか？」デイブがスコットの肩を叩きました。

　スコットはスパナを握りしめながら、現実に戻りました。ゆっくりと気持ちを落ち着かせ、（万事順調だ。仕事はもうすぐ終わる。ボスが助けを必要としている。落ち着くんだ）と自分に言い聞かせました。

　スコットは、今起きたことを頭の中で整理しました。そして、天の父に祈りました。（何かあると私を殴ってきた父親を赦します。天のお父さん、あなた

が私を守ってくださらない、という嘘を破棄します。見捨てられる、という恐れをあなたに渡します。聖霊さま、どうぞ、真理を教えてください）

「スコット、目を覚ませよ」

スコットはデイブを見ました。そして、持っていたスパナを下に置きました。

「頼んだことをしてくれるのか？」

「今直ぐ行きます」

「よし。向こうに着いたらジェイムソンに報告してくれ」

そう言って、デイブは立ち去りました。

倉庫へ向かう途中、スコットは心の動揺を整理しました。（いいボスに当たったためしがない）スコットはそう考えました。（どうして神様は僕をこんな目に合わせるんだろう）彼は、廊下で立ち止まって祈りました。「聖霊さま、真理を見せてください」

その瞬間、聖霊は子供の頃の幻をスコットに見せました。父親のグレンが、成績が悪いと言ってスコットを叱責しています。痛みの中で彼は叫び声をあげていました。「天のお父さん、あなたはどこにいたんですか？」

聖霊は記憶を見せ続けます。12歳の自分が父親に屈辱的な扱いを受け、涙で濡れています。父親が彼の成績表をくしゃくしゃにして、ゴミ箱に投げ捨てました。父なる神が彼の横に立ち、こう囁きました。「スコット、君はバカじゃないよ」

現実に戻ったスコットは身をかがめ、目から涙をぬぐいました。37歳の今に到るまで、一度も頭がいいと言われたことがありませんでした。父親からは、成績の悪さを何とかしろと言われるだけでした。しかし、父なる神から、彼の知性が問題ではないというメッセージを受け取りました。

遜り変えられたスコットは、立ち上がって木箱を取りに倉庫へ向かいました。足りない者という思いと恥は、もはや遠いものとなりました。

この場合、スコットが神の真理を知りたいと望んだことによって、怒りを爆発させずに済みました。その結果、意地の悪い上司にも対応し、自分の仕事を達成することが出来ました。上司のコミュニケーションの取り方には取り扱うべきことがあるにも関わらず、スコットが自分の思いを見張ることによって上手く対処出来たのです。

もし、スコットが聖霊の介入を求めなかったら、どのような状況になって

いたかを想像してみてください。

「痛い！」、スコットは指の関節をボルトで擦ってしまい、苛立ってスパナを
タイヤに叩きつけました。デイブは腕時計を見ました。
「終わったか？」
　スコットは血まみれの手を見つめながら心の中で考えました。（俺が怪我
したっていうのに、デイブは気にもしないのか）
「スコット、聞いてるか？」
　スコットの怒りが爆発しました。彼はもはやデイブではなく、薄情な父親、
グレンを見ていました。拳を握りしめました。
「スコット、おい、スコット！　起きてるか？」デイブがスコットの肩を叩
きました。
　反射的にスコットは、デイブの手首を掴んで捻り上げました。デイブは悲
鳴を上げて床に倒れ、スコットは鼻穴を広げてデイブを見下ろしました。何
度か悲鳴を聞いたのち、我に返ったスコットは、手を離し、後ずさりしまし
た。手首をさすりながらよろける足で立ち上がったデイブは、
「ロッカーを片付けろ。お前は終わりだ！」
「デイブ、俺はただ…」
「出て行け！」
　スコットの手からスパナがすべり落ちました。ロッカーへと走るスコット
を、デイブの不愉快そうな唸り声が追いかけてきました。

　長年にわたり SOZO ミニストリーを行なってきた結果、解決されていな
い怒りが特定の状況において、感情の暴走を引き起こす切っ掛けになること
がわかってきました。スコットのケースがその例です。要求の厳しいボスと
の問題が切っ掛けとなり、短気な父親に対して持っていた怒りが爆発してし
まったのです。先程の例では、全ての思いを把握することで、上司に殴りか
かって仕事を失うことは避けられたのです。その後、倉庫に向かった彼は、
上司に否定的に反応する代わりに、自分の感情を処理し、神の真理を見つけ
るために時間をかけることが出来ました。このように、自分の思いと対話す
ることによって心を治め、平安をもたらしたのです。
　信じている嘘を取り扱うことが如何に重要かは、この２つの例を見ると

明らかです。過去の痛みを思い出すことは、何の助けにもなりません。最初の状況で、スコットは父親との辛い過去ではなく聖霊との関係に目を留めています。そうすることで、理性的に考え、過去のトラウマによる圧制から逃れることができたのです。

2番目の状況では、スコットは怒りを受け入れています。その状況を神に持っていく代わりに、支配されたのです。その結果、上司との関係、仕事、良い評判を失ってしまいました。

多くの人が、怒りを受入れたスコットのように暮らしています。暴力を振るうまではしていないとしても、間違った思いに力を与えることがあるのです。受動的攻撃性行動注1 には、酷い暴力と同様に関係性を破壊する力があります。

次に、より受動的な（たぶん、より一般的な）置き換えを示す例を紹介します。

ケイティのケース

最近、大学を卒業したケイティは、カリフォルニア州レディングに住む友達を訪ねることにしました。ハリウッドから8時間運転して到着しましたが、友人は留守でした。連絡が取れないため、彼女は地元の健康食品店に行きました。通路に立って、友人の不在について考えました。（家にいないなんて、信じられない。私が8時間も運転して来るって知ってるはずなのに）

突然、ケイティの電話が鳴りました。画面を見ると、ヘザーでした。
「ケイティ？」ヘザーの声です。「今、あなたのメールが届いたの。私たち、ダウンタウンのローゼンホールに来てるの。あなたも来ない？」
「家にいてくれると思ってたのに。まず、荷物を降ろしたいの」
「わかった。じゃあ、弟のザックを手伝いに行かせるわね。私たちは後40分位かかりそうなの」
「何をしてるの？」
「友達のパーティーよ。彼女、故郷に帰るの。家にいなくて本当にごめんね。急いで、出来るだけ早く帰るようにするから。怒ってないよね？」
「大丈夫」そう答えたケイティの指は、電話を強く握りしめたために白くなっていました。
「わかってくれてありがとう…」
　ケイティは電話を切りました。

　1 時間後、ヘザーとルームメイトが帰ってきました。怒ったケイティは荷物をソファーに置いたまま寝袋にくるまって目を閉じました。ケイティが寝ているのを見たヘザーは、そっとしておこうとルームメイトへ目配せしました。

　この話は馬鹿げているように聞こえるかもしれませんが、よく起きるコミュニケーションの問題が書かれています。ケイティはヘザーのコミュニケーション不足に対して、怒りを抑えることが出来ませんでした。彼女はその夜を怒りで終えてしまいました。それはパウロがエペソ人への手紙で気をつけるようにと警告していることです。

**　怒っても、罪を犯してはなりません。日が暮れるまで憤ったままでいてはいけません。悪魔に機会を与えないようにしなさい。**（エペソ四・26~27）

　ヘザーが遅くなることを伝えなかったことで問題を起こしたのは事実ですが、ケイティの怒りが正当化される訳ではありません。この例では、ケイティが自分の気持ちを伝えなかったことで、被害者の役割を引き受けることを許してしまいました。犠牲者となることによって、友人たちへの怒りを正当化したのです。

　同じ話を勝利の眼鏡をかけてどのように見えるかを以下に示します。

　ケイティは通路に立って、友人の不在について考えました。（家にいないなんて、信じられない。私が 8 時間も運転して来るって知ってるはずなのに）

　突然、ケイティの電話が鳴りました。画面を見ると、ヘザーでした。
「ケイティ？」ヘザーの声です。「今、あなたのメールが届いたの。私たち、ダウンタウンのローゼンホールに来てるの。あなたも来ない？」
「行かないわ。あなたが家にいてくれると思ってたのに。まず、荷物を降ろしたいの。」
「わかった。じゃあ、弟のザックを手伝いに行かせるわね。私たちは後 40 分位かかりそうなの」
「ヘザー、きつい言い方に聞こえるかもしれないけど、8 時間も運転したばかりで、あなたに会えるのが楽しみだったの。あなたが家に戻ってきて、私

を中に入れてくれたら、本当に嬉しいわ。そうしたらパーティーに行くこと
も考えてみる。でも先ずは、ゆっくりしたいの」

(間を置いて)「わかった、すぐ行くね」

「ありがとう。ところで何があるの？」

「友達の送別会よ。彼女が町を出るの。急に誘われて、それで飛んで来たの」

「そうなの。助けてくれてありがとう。嬉しい」

「すぐにそっちに向かうから」

　ケイティは電話を切りました。

　この例では、ケイティは境界線を守り、聖書の教えに従って行動していま
す。自分には価値がない、または大切にされていないという嘘を信じるので
はなく、安全で、愛され、守られているという神にあるアイデンティーに
基づいた行動しました。そうすることで、自分の気持を友達に上手く伝え
ることが出来ました。

　ケイティもスコットも、嘘ではなく真理に立つことで、その状況を支配し
ました。イエスのように、彼らは、状況によって自分たちの行動が振り回さ
れるのを許しませんでした。その代わり、葛藤を克服する間、核心的な真理
に立ち続けたのです。

　これが、勝利ある生き方をしたいと望む人の鍵です。最も困難な状況さえ
も、打ち破りのチャンスとして用いることが出来るのです。イエスは、ルカ
の福音書でこのことについて語られました。

**　そのころのある日のこと、イエスは弟子たちといっしょに舟に乗り、「さ
あ、湖の向こう岸へ渡ろう。」と言われた。それで弟子たちは舟を出した。
舟で渡っている間にイエスはぐっすり眠ってしまわれた。ところが突風
が湖に吹きおろして来たので、弟子たちは水をかぶって危険になった。
そこで、彼らは近寄って行ってイエスを起こし、「先生、先生。私たちは
おぼれて死にそうです。」と言った。イエスは、起き上がって、風と荒波
とをしかりつけられた。すると風も波も治まり、なぎになった。(ルカ八・
22~24)**

　弟子たちが恐ろしい嵐と受け取ったものを、イエスは神の平安を解き放つ

チャンスであると捉えました。神は常にあなたの状況を好転させる機会を与えてくださいます。

　イエスは、神の似姿として造られたクリスチャンとしての生き方を、完璧な形で示されました。御国を広げるために創られた私たちは、この世の嵐の内外にあっても繁栄するようにと召されています。神は、私たちが争いや自然災害に直面しても、それらの上に留まり、神の真理を伝える能力を与えてくださいました。

**　私たちはみな、顔のおおいを取りのけられて、鏡のように主の栄光を反映させながら、栄光から栄光へと、主と同じかたちに姿を変えられて行きます。これはまさに、御霊なる主の働きによるのです。（Ｉコリント三・18）**

　神の栄光を現す霊は変化をもたらします。神と出会えば出会うほど、私たちはより神に似た者へと変えられます。成長するための時間を取ることは有益です。私たちは成長することで栄光から栄光へと進み、イエスの似姿へと日々造り変えられていくからです。

グループで話し合う質問

1. 人生で、乗り越えられずにもがいている問題はありますか？
2. 怒りを爆発させることがありますか？
3. 他人のあなたに対する態度に不満を感じますか？
4. 人に傷つけられたら、その人から距離をおくことで仕返しをすることはありますか？
5. 安全を感じるために、他の人と距離を取っていますか？

課題

1. まだ悪意を抱えているなら示してくださるように、聖霊に聞いてください。
2. その悪意があなたの日常生活にどのような影響を及ぼしているのかを、聖霊に聞いてください。
3. 赦すべき人がいるかどうかを聖霊に聞き、その人を赦してください。

4. 代わりに、聖霊が与えたいと願われているものが何かを聞いてください。

5. 神の言葉への愛を燃え上がらせてくださるよう、聖霊に祈ってください。

6. キリストの似姿に変えられていくために、あなたが次に取るステップは
   どのようなことかを、聖霊に聞いてください。

注1 意識的無意識的に関わらず、怒りを直接的に表現せずに他者に攻撃する行動

参考文献

ファレリー・ダン（Farrelly, Dann）『Brave Communication（勇気あるコミュニケー
ション）』（未邦訳）

ダニー・シルク『愛し続けなさい』（マルコーシュ・パブリケーション）

第 12 章

従順を武器とする

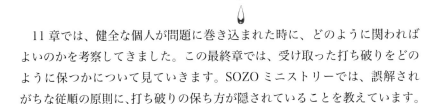

　11 章では、健全な個人が問題に巻き込まれた時に、どのように関われば
よいのかを考察してきました。この最終章では、受け取った打ち破りをどの
ように保つかについて見ていきます。SOZO ミニストリーでは、誤解され
がちな従順の原則に、打ち破りの保ち方が隠されていることを教えています。

　この章のテーマである「従順」とは、「**法律や権威を有する者の要請に従
うこと**」と定義されています。また「**権威**」とは、「**個人や組織が特定の政
治や行政の分野で持つ力や支配力のこと**」を指しますが、今の世の中では、
従順とは敬意を持たずに、単に服従する行為と見なされる傾向があります。
私たちが親や教師またはリーダーたちに従うよう教えられる一方で、権威あ
る人たちは私たちに信頼や自信を与えてはくれません。

　虐待を受けると、子どもは、従順は弱さゆえの行動だという嘘を信じて
成長することになります。虐待を体験した人は、支配されることへの恐れか
ら、指導的立場にある人に心を閉ざすことによって自分を守ろうとします。

　聖書は、権威を尊重し、従順に行動するよう命じています。

　　**あなたがたの指導者たちの言うことを聞き、また服従しなさい。この人々
　　は神に弁明する者であって、あなたがたのたましいのために見張りをし
　　ているのです。ですから、この人たちが喜んでそのことをし、嘆いてす
　　ることにならないようにしなさい。そうでないと、あなたがたの益にな
　　らないからです。** (ヘブル十三・17)

　更に、権威は神により与えられるものだということが明確に記されていま
す。

人はみな、上に立つ権威に従うべきです。神によらない権威はなく、存在している権威はすべて、神によって立てられたものです。（ローマ十三・1）

　もし、あなたが指導者に従うことに困難を覚えているなら、色眼鏡をかけてその人物を見ていないかどうか、聖霊に尋ねてください。指導者を否定的に見る理由は、あなたの視点がその論理に「同調」しているからだと気づくかもしれません。

　従順は、キリストのからだにとって極めて重要です。信仰の創始者であり完成者であるイエスは、従順を究極的に実践する者として仕えられました。

**　そこで、イエスは彼らに答えて言われた。「まことに、まことに、あなたがたに告げます。子は、父がしておられることを見て行なう以外には、自分からは何事も行なうことができません。父がなさることは何でも、子も同様に行なうのです。**（ヨハネ五・19）

　イエスは自らを犠牲にして捧げるほど、父のみこころに従われました。イエスの生涯は、従い続ける者の姿を示しています。その従順は、全てのクリスチャンが目指すべき基準です。それを達成するためには、神との深い関係を築くことが必要です。そうするなら、私たちに対する神のご計画を知り、困難な課題を実行しやすくなるのです。

**　いま私は、こころを縛られて、エルサレムに上る途中です。そこで私にどんなことが起こるのかわかりません。ただわかっているのは、聖霊がどの町でも私にはっきりとあかしされて、なわめと苦しみが私を待っていると言われることです。けれども、私が自分の走るべき行程を走り尽くし、主イエスから受けた、神の恵みの福音をあかしする任務を果たし終えることができるなら、私のいのちは少しも惜しいとは思いません。**（使徒二〇・22~24）

　神のご計画に従うことで、私たちはそれぞれの召しに近づくことができる

ようになります。パウロのように、問題に直面する時、従順を盾として用いることができるのです。

　従順に関してよく誤解される点は、霊の戦いにおいて武器として用いられる能力です。ですから、ヤコブが「完全に神に従順」になるようにと教えています。主に自分自身を捧げることによって、悪魔とのいかなる関わりを避けることができるのです。

**　ですから、神に従いなさい。そして、悪魔に立ち向かいなさい。そうすれば、悪魔はあなたがたから逃げ去ります。**（ヤコブ四・7）

　悪魔について、聖書にはこのように書かれています。「**ほえたけるししのように、食い尽くすべきものを捜し求めながら、歩き回っています。**」（Ⅰペテロ五・8　強調著者）食い尽くされないためには、敵に抵抗する必要があります。

　人々が策略に協力するのを、罪はお腹を空かせて待ち望んでいると創世記に書かれています。神はその罪を征服することの重要性を、カインに警告しました。

**　そこで、主は、カインに仰せられた。「なぜ、あなたは憤っているのか。なぜ、顔を伏せているのか。**
**　あなたは正しく言ったのであれば、受け入れられる。但し、あなたが正しく言っていないのなら、罪は戸口で待ち伏せして、あなたを恋い慕っている。だが、あなたは、それを治めるべきである。」**（創世記四・6, 7）

　キリストに従うことは、罪に対する権威を持つことにつながります。前述したように、ビル・ジョンソン師が「権威を持つことができる嵐とは、その中にあっても眠ることができる嵐に対してだけだ」と教えられたのは、このことです。

　エペソ人の手紙六章十二節には、私たちが戦っている天の場所に「**主権、力、支配者たち、もろもろの悪霊**」がいると教えています。それらの猛攻撃にどのように対処すればいいのでしょうか？　答えの一部がヤコブの手紙四章七節にあります。残りの部分は、エペソ人への手紙六章に見ることができます。

終わりに言います。主にあって、その大能の力によって強められなさい。悪魔の策略に対して立ち向かうことができるために、神のすべての武具を身に着けなさい。私たちの格闘は血肉に対するものではなく、主権、力、この暗やみの世界の支配者たち、また、天にいるもろもろの悪霊に対するものです。ですから、邪悪な日に際して対抗できるように、また、いっさいを成し遂げて、堅く立つことができるように、神のすべての武具をとりなさい。（エペソ六・10~13）

　時には、服従が敵の策略に対抗する唯一の方法であることがあります。ベテル教会のクリス・バロトン師は、悪魔は忍耐という御霊の実を持っていないため、困難な戦いから逃げ出すと言っています。従って、ただ退くのを待つことも敵の攻撃をかわす一つの方法となります。そのような時に自分自身のために読み直す聖句があります。

今の時の軽い患難は、私たちのうちに働いて、測り知れない、重い永遠の栄光をもたらすからです。私たちは、見えるものにではなく、見えないものにこそ目を留めます。見えるものは一時的であり、見えないものはいつまでも続くからです。（Ⅱコリント四・17，18）

　敵の反対を前にして立つことは、神への従順を現しています。神の誠実さを信じることが、あなたを引き上げるのです。
　ダナは長年慣れ親しんできた習慣が神にふさわしくないものだと気付いた時に、初めてこのことを体験しました。成長していくうちに、どれほど大変な１日を過ごした日でも、夜になれば、夢を楽しむことを知りました。夢の中ではストレスも惨めさも、些細な出来事も忘れることができました。枕に頭を沈めるとすぐに、冒険の旅に出かけることができたのです。彼女はこれらの夢を大切にし、辛い時にはさらなる昼寝を楽しみにしていました。
　ある日、親友のレネーと昼食を共にしていた時、ダナは自分の罪に初めて気づきました。レネーは、今日のダナがいつも以上に疲れているように見えました。理由を尋ねると、ダナは素晴らしい夢を見ていたので、十分に休むことができなかったと答えました。横になっていると、脳が彼女を素晴らし

い冒険に連れて行ってくれるのだと説明しました。その夢は、映画のように一晩中続きました。

レネーは気がかりな様子でこう言いました。「私にはそんなことできないわ。」ダナが「ええ！　じゃあ、あなたは退屈な夢しか見てないのね」と答えると、レネーは、「私はいつも、神が見せてくださる夢を見てるわよ」と言いました。この時、ダナは何かがおかしいと感じました。彼女の霊が、20年以上も見続けてきた夢は、神からの夢ではないと教えました。レネーは、ダナがファンタジーの霊が見せる夢を見ていると言いました。

ダナは平手打ちされたような衝撃を覚えました。深く腰掛け、落ち着いて考えました。「ああ、なんてこと！」事実、これは嬉しくない啓示でした。それまでの人生ずっと、彼女はその夢を大切にしてきました。夜に彼女に語りかけるその声は、子供の頃から彼女を慰めてきました。気を晴らすために必要なものだと思ってきましたが、実際には、日常の落胆から逃れるための手段となっていたのです。神がレネーの洞察力を通して初めて、ダナは自分の欺きの深さに気づいたのです。

ダナはその場で悔い改め、神に赦しを求めました。ファンタジーの霊との関係を破棄し、代わりに、神による休息を求めました。その後の数週間、ダナは毎晩のようにその声を退ける必要がありました。長い年月の間、その声を受け入れてきたため、要塞となっていたからです。それからの数ヶ月の間、敵の持つ力を弱めるために、彼女は誘惑を退け続けました。そしてようやく、横になってもその声に引き込まれることはなくなりました。この勝利に至るまでには、神に泣き叫ぶ苦しい夜を幾晩も過ごさなければなりませんでした。この時期、彼女は「私は従順の子。ファンタジーの霊を受け入れない」と宣言し続けました。

もし、あなたが「使い魔」（魔女や悪魔などに仕える超自然的な力を持つ精霊）と繋がることから来る独り言を話す習慣があるなら、その使い魔を留まらせる生活習慣がまだ残っているのかもしれません。身についてしまった独り言を捕らえるには、日常における従順さが必要です。その使い魔を断ち切るのは、容易なことではありません。例えば、初め、ダナはこの問題に取り組むことは不公平だと感じました。彼女の思いはこうでした。

（これは不公平だわ。楽しくないし、正しいとも思えない。神様、こんなガードレールみたいなものをつけないといけないんですか？　自分の見たい夢を見るこ

との何がいけないんですか？）

　それでも彼女は、聖霊が導かれる神からの夢を見ることに従いました。何年も偽りの安らぎの中で生きてきた彼女は、困難の中にいる時に語りかけ慰めを与えようとされる神の声を見つけました。

　このシンプルだが痛みを伴う従順を選んだダナの勇気に目に留めてください。人生に巣食っていた神にふさわしくない結びつきに気がついた時に、彼女はそれを神の臨在と置き換えることに焦点を当てました。私たちの中にも、同じような問題があまりにも深く根付き、それが存在することすら気づかない人もいます。友人やメンターの目を通して、また聖霊の励ましや聖句によって、私たちは隠れている障害を見つけ、御国の法則と置き換えることができるのです。

　たとえその障害が無害に見えても、私たちはそれらを手放さなければなりません。敵の嘘や要塞は、大胆な正面攻撃ではなく、少しずつ欺く方法を用います。私たちが敵の策略に同意すると、時間をかけて彼らの嘘が成長していきます。ダナのように、あなたが解放された後の扉を閉じておくためには、敵に対して強固に立ち続ける必要があります。

　私たちが主から癒しや打ち破りを頂いた後に、その状態を保ち、歩みを続ける責任は私たちにあります。解放される前の場所に背を向けて、いつまで立ち続ければ良いのかは、それぞれ違います。それは敵が「諦めるまで」です。確かな変化を感じるまで、あなたはしっかりと動かされないように留まらなければなりません。主に従って歩むなら、あなたは敵の策略を打ち負かすことができるでしょう。主のみこころに従い続けるうちに、あなたは力強い兵士と変えられていくのです。

　わたしの名を呼び求めているわたしの民がみずからへりくだり、祈りをささげ、わたしの顔を慕い求め、その悪い道から立ち返るなら、わたしが親しく天から聞いて、彼らの罪を赦し、彼らの地をいやそう。（II歴代誌七・14）

　ですから、あなたがたは、互いに罪を言い表わし、互いのために祈りなさい。いやされるためです。義人の祈りは働くと、大きな力があります。（ヤコブ五・16）

子供たちよ。主にあって両親に従いなさい。これは正しいことだからです。「あなたの父と母を敬え。」これは第一の戒めであり、約束を伴ったものです。すなわち、「そうしたら、あなたはしあわせになり、地上で長生きする。」という約束です。（エペソ六・1~3）

　これらの箇所は従順と伝え合う責任の利点を示しています。私たちは神からのアドバイスを伝えてくれる伴侶や友人、両親やメンターなどから距離をとってはいけません。もちろん、人生には近寄らない方がいい人たちがいることも事実です。その解決には、境界線の学びが役立ちます。

　従順な子供として、自分のために備えられている人たちの助言を聞き、神に「はい」ということによって、力を得るようになります。周囲から来る人生へのアドバイスを受け入れることは、私たちの視野を広めます。それは、人生、状況を見るための特別な目を与えてくれます。敵の攻撃を受けている時にも、より大きい視野からその状況を見ることができるようになります。信頼する人たちと共に歩むことは、常に有益なことなのです。

　従順という武器を用いることは、神を求めて歩む者にとっての鍵です。もし、あなたが神に従うことに難しさを覚えているなら、従順さが支配的に見えたり、厳しそうに見える色眼鏡をかけていないかどうかを確かめてください。あなたが神を愛なる良い神として信じ、見ない限り、神の完全な現れを見ることはありません。

　支配と間違った色眼鏡を破棄するため、以下の祈りを繰り返してください。

『主よ、あなたの心を私に明らかにしてくださり、ありがとうございます。従順とは、あなたや誰かに支配されることではないということを教えてくださり、ありがとうございます。あなたは私にとって何が最善かをご存知で、私の心がその最善を行なうことを望んでおられるためです。私は、色眼鏡をイエスの御名によってあなたに渡します。そして、あなたは良いお方で私にとっての最善を願っておられるという眼鏡を受け取ります。アーメン』

　預言的な行ないとして、あなたが人生を見てきたその色眼鏡を外すジェスチャーをしてください。そして、神がくださる眼鏡と交換してください。神

の眼鏡を通して神の目線で見ることができるよう、自分自身を合わせてください。愛溢れる父なる神は、あなたを支配しようとは思っていません。代わりに、あなたが安心の中で造り変えられる姿を見たいと願われているのです。

グループで話し合う質問

1. 他の人があなたの人生に関して意見を言ったり、決断に疑問を投げかけるのを受け入れるのは、難しいと感じますか？
2. 人があなたの動機に疑問を持った時、守りの姿勢をとりがちですか？
3. 権威を持っている人から傷つけられたことがありますか？

課題

1. あなたを傷つけた権威を持っている人を赦してください。
2. その出来事が起こった時、イエス様がどこにおられたのかを聞いてください。
3. そのことを通してどのような嘘を受け取ったのかを、父なる神に聞いてください。
4. 父なる神があなたに教えようとしておられる真理は何かを、聞いてください。
5. 神にふさわしくない習慣があれば、それを見せてくださるよう、聖霊に聞いてください。
6. その習慣を行なってきたことを赦してくださるよう、イエスに祈ってください。
7. 信じている嘘があれば破棄してください。
8. 神にふさわしくない霊や習慣を、日々、拒否できるよう、聖霊に力を求めてください。
9. この霊に強く立ち向かい、日々、神に従順に歩んでください。
10. この聖句について熟考してください。

　　ですから、邪悪な日に際して対抗できるように、また、いっさいを成し遂げて、堅く立つことができるように、神のすべての武具をとりなさい。（エペソ六・13）

参考文献

ダナ・デシルバ（Dawna De Silva）、『Wielding the Weapon of Obedience（従順を武器にする）』(未邦訳)

ダニー・シルク（Danny Silk）、『尊敬の文化』（マルコーシュ・パブリケーション）

あとがき

次に来るもの

　身体的、霊的、感情的な健康を得るには、時間がかかります。敵があなたを古い習慣に戻そうとしても、落胆することはありません。そのような時には、父、子、聖霊の御前にあなたの必要を持っていってください。

　SOZO について更に詳しく知りたい方、または SOZO セッションを受けたい方は、ベテル・SOZO のウェブサイトをご覧ください。「www.bethelsozo.com (英語のみ) ウェブサイト上に「SOSO ネットワーク」と「地域の責任者」というタブがあり、その下に、あなたの近くにいる SOZO ミニストリーに関わるメンバーの情報が掲載されています。

　また、日本語でセッションを希望される方、日本語の通訳を希望される方は、その旨をご記入ください。日本人が対応します。

　この本に書かれている自由への鍵を楽しく学んでいただけたでしょうか。誠実に実行し続けていくことで、みなさんの歩みが強められ、敵の要塞が砕かれていくことを期待します。イエスが約束してくださった豊かな人生が、みなさんのものとなるでしょう。

　もう罪の奴隷ではないことを忘れないでください。イエスの贖いにより、あなたは神の相続人とされたのです。必要なものは全てすでに買い取られています。神は、あなたが神を探し出すのを待ち望んでおられます。

　事を隠すのは神の誉れ。事を探るのは王の誉れ。（箴言二五・2）

　あなたが、神が与えてくださるものを探し、人生に用いていく旅路に、主の祝福がありますように。

祝福を込めて　ダナ＆テレサ

新刊　聖餐の力

ベニー・ジョンソン
ビル・ジョンソン 共著

1400 円 + 税

聖餐をただの教会行事と捉えないでほしい。聖餐は神の力そのものであり、暗闇を破壊する武器であり、イエスにつなげるツールであるからだ。その力を用いるかどうかは、私たち次第である。本書を通して聖餐に与る習慣を身につけてほしい。そして神の力があなたを通して流れるのを目撃してほしい。

関連書籍

■ **ハッピーインターセッサー**

ベニー・ジョンソン

定価 1800 円+税

聖霊さま、おはようございます！

ベニー・ヒン著

1850 円 + 税

聖霊さまがいなければ、私たちは神の御国を理解することも罪を知ることも、真理を知ることもできません。ベニーは、自分の体験を通して聖霊さまがどのように感じ、私たちに何を望んでおられるかを教えてくれます。この本は、聖霊様とどのように交わっていったら良いかを教えてくれます。

既刊案内

天の法廷
ロバート・ヘンダーソン
定価 1750 円＋税

神の御心に適うように祈っているのに、祈りが聞き届けられないことがあるのは何故でしょうか。切に心から祈るのにも関わらず、何故、神からの応答を頂くことができないのでしょうか。私は祈りが届くその場所に答えがあると信じています。天の法廷でこそ、打ち破りを経験することができます、この本は、天の法廷の法則、神の御心に適う答えを手にする方法を学ぶことができます。

愛し続けなさい　ダニー・シルク　定価 1800 円＋税

尊敬の文化　ダニー・シルク　定価 1800 円＋税

神の臨在をもてなす　ビル・ジョンソン　定価 1600 円＋税

世界を変革する力　ビル・ジョンソ　定価 1800 円＋税

お金と幸いなるたましい　スティーブン・デシルバ　定価 1700 円＋税

SOZO 救い・癒し・解放

2020 年 12 月 23 日　初版発行

著者　ダナ・デシルバ
　　　テレサ・リブシャー　共著

翻訳　加藤千雅子・マルコーシュ翻訳委員会

定価　1600 円＋税

発行所　(株) マルコーシュ・パブリケーション
　　　　千葉県茂原市東郷 1373
　　　　電話 0475-36-5252

印刷所　株式会社プレイズ

装丁　　textum